Alfredo Conde
Los otros días

Alfredo Conde

Los otros días

Premio Nadal 1991

Ediciones Destino
Colección
Áncora y Delfín
Volumen 668

© Alfredo Conde
© Ediciones Destino, S.A.
Consell de Cent, 425. 08009 Barcelona
Primera edición: febrero 1991
Segunda edición: febrero 1991
ISBN: 84-233-1991-1
Depósito legal: B. 4.452-1991
Impreso por Limpergraf, S.A.
Carrer del Riu, 17. Ripollet del Vallès (Barcelona)
Impreso en España - Printed in Spain

A Giuseppe Tavani
y a Giulia Lanciani

*En la colmena, el individuo no es
nada, no tiene más que una existencia
condicional, no es más que un momento indiferente, un órgano alado de la especie. Toda su vida es un sacrificio total
al ser innumerable y perpetuo del que
forma parte. Es curioso observar que no
siempre fue así.*

MAURICE MAETERLINCK, *La vida de las
abejas*, Libro Primero, Cap. VII.

Capítulo primero

*En el día prescrito por el «espíritu de la
colmena»...*

MAURICE MAETERLINCK, *La vida de las
abejas*, Libro Segundo, Cap. IV.

—Tiemblo, pero no de emoción, sino de Parkinson.

Reconozco que no se lo debí decir así, de forma
tan brusca, cuando, al bajar del coche, vi aquel
montón de gente que estaba esperando por mí y que
había, entre toda ella, incluso, quien lo hacía osten-
tando una cara de satisfacción que no venía a cuento, quien hacía manifiesta su alegría y quien, por si
fuera poco, lo hacía de su asombro, cuando no de su
incredulidad. Pero ¿qué podrá haber de asombro-
so, o de increíble en un viejo que llega a cualquier
parte?

Lo cierto es que preferiría haber podido llegar
solo, sin nadie que me estuviese esperando. Encontrarme con mi propia soledad, y ocupar la vieja casa
de una forma tranquila y sosegada, que así no iba a

11

ser nunca posible e ir valiéndome por mí mismo de forma paulatina, hubiera sido, de verdad, lo preferible. Pero no fue así y no sé si deberé de culparme por ello; al fin y al cabo, ¿quién avisó de mi llegada?

Puede que todo esto que digo resulte ser, a la postre, una manía de viejo; pero así es. Una vez llegado a la edad provecta en la que me hallo, tiendo, con facilidad manifiesta, a sentirme culpable de casi todo.

Y debe de ser cosa propia de la vejez esta desazón que me consume o, lo que es peor, acaso sea, la desazón la vejez misma. Protestar por todo, maldecir de todo y todo criticarlo, encontrarlo ruin o excelso, paradigmático o sublime, según lo haya previamente encontrado quien conmigo esté y con tal de llevarle la contraria, no es, ni más, ni menos, que un signo de afirmación propio de la edad tardía. Tan sólo me consuela el pensar que, al ser, como soy, consciente de ello y al ser capaz, como igualmente soy, de reflexionar al respecto, aún tengo alguna esperanza de vida y todavía me puedo ir librando de la desintegración final, esa entelequia.

—Tiemblo, pero no de emoción...

Fue, mi exabrupto, una manera, supongo que tan válida como cualquier otra, de enviarles aviso de lo que allí me había llevado; de ser yo quien les dijera mis propias palabras; yo quien les impusiera mi propia visión de los hechos o mi concepto de las cosas; de encaminarlos yo mismo, hacia la aceptación de mi triste realidad de viejo, ya que no de anciano, puesto que eso es lo que realmente me siento —un hombre prematuramente avejentado— y que fue mi voluntad, y no mis sentimientos, la que hasta allí me había determinado a ir. Mi propia decisión la que me había inducido; no la edad de la vida, ni tampoco ninguna otra razón de la que debiera sentirme avergonzado. Y así debía ser.

No conocía la casa y no me podía emocionar.

Tampoco me conocían ellos a mí y, la noticia de un viejo que sale en los periódicos y se va a vivir no sé a dónde, no es razón suficiente como para que los conmovidos fuesen ellos. Pero lo cierto es que aquella gente estaba llena de curiosidad hacia mí y eso lo entiendo. Lo que no soy capaz de comprender es de quién había partido la convocatoria, puesto que de mí no había sido; de mí no había surgido ni la más leve insinuación al respecto para que alguien saliese a recibirme. Nada había dicho. Nada había deseado.

Y entre toda aquella barahúnda de gente no conseguía identificar al matrimonio que había de atenderme. Sabía que se trataba de gente joven, pues así lo había indicado cuando me decidí al retiro. Incluso, entre bromas y veras, había sugerido que, de ser posible, se tratase de gente religiosa y bella; incluso de gente conservadora, es decir, de derechas; pues sabida es la resignada aceptación de la realidad que una religiosidad bien encauzada produce y, al mismo tiempo, se sabe, también, que la belleza ayuda a que la vida sea, al menos en un principio, más higiénica. ¿Qué decir del respeto a las indicaciones que, emanadas de la autoridad, la considerada gente de orden profesa? Pero no conseguía distinguirlos, a mis dos fámulos, y dilucidar a partir de su aspecto si mis indicaciones habían sido cumplidas.

—¡Parkinson, Parkinson! ¡Baile de San Vito, carajo!

Y agité las manos delante de ellos, por si no me habían comprendido y para que viesen bien de qué iba la cosa. Se lo dije sonriendo, ése fue mi pecado. Siempre me perdió este afán mío de hacerme querer, de necesitar hacerme agradable y simpático. Así llegué a la casa, a lo que llaman la Casa de la Santa que es en realidad un conjunto de tres edificaciones, interrelacionadas entre sí por un jardín que ocupa el

13

espacio que antes llenaba otra vivienda, de la que hoy sólo se conservan los muros por los que ascienden enredaderas diversas, hiedras, pasionarias, incluso una buganvilla y madreselvas, que no llegan, sin embargo, por muy tupidas que estén a cubrir los huecos de las ventanas por los que es fácil ver volar los pájaros, atravesándolos. Es un jardín hermoso y decadente.

Hubo quienes intentaron ayudarme a transportar las maletas y, si no lo impido a tiempo, lo hubiesen conseguido. Pero pronuncié un «No, gracias» lo suficientemente seco y sonoro como para disuadir de su empeño a los más decididos. Negativa que, de inmediato, suavicé con una sonrisa y la convincente expresión de que dentro habría quien podría hacerlo. Pero no había nadie. A pesar de ello reiteré mi negativa a ser ayudado. Quería valerme por mí mismo.

—¿Podrá quedar todo en el coche? —pregunté.

Casi a coro me confirmaron que sí, que no habría problemas y que, si los hubiese, allí estarían ellos para solucionarlos. Di las gracias. Cogí, con mi mano más torpe, una maleta que venía en el asiento trasero del vehículo, cerré la puerta como pude, y me dirigí hacia la de la casa que abrí con el pulso inseguro, pero suficiente, que, al menos de momento, me proporciona el coger algo con fuerza. Entré. Aquélla era mi casa.

—Tiemblo...

Me reconocí a mí mismo e, incluso, en otro plano del pensamiento, añadí: («... de emoción»); pero no había nadie para llevarme la contraria.

Conocía el interior someramente, gracias a las fotografías que me habían sido enviadas e inducido a la compra, y lo fui identificando con idéntica sensación a la que se experimenta cuando regresas a un lugar del que faltas desde hace muchos años.

La buganvilla, aun sin estar florecida en aquellos días, llegaba, en cascada, al pequeño recinto de la entrada cayendo, desparramada, desde el tejado. Había llegado hasta allí ascendiendo desde el jardín, trepando por los muros de lo que había sido un edificio, y al hacerlo, se mezclaba, se mezcla, con un abutilón que tiene su pie en el propio recinto. Entre los dos cubren, para protegerlo, un banco de piedra en el que, es de suponer, los antiguos moradores de la vivienda, habrán consumido las horas crepusculares del verano, viendo volar las golondrinas en su vuelo más rasante y anunciador de un cambio de tiempo.

En el vestíbulo y nada más entrar, una hermosa talla barroca muestra una virgen, manca y policromada, que sonríe como pueda hacerlo cualquiera de las del pórtico de la catedral de Colonia; quién sabe si de las sabias, quién sabe si de las necias.

Es sencilla esta primera planta del edificio principal. Si sigues de frente y dejas la estatua de la virgen a tu derecha, accedes a la cocina y, de ella, sales ya al jardín de la casa, el que tiene camelias y naranjos, un limonero y también un pozo. Desde él puedes ver la torre, barroca y hermosa, de la iglesia en la que, ahora, se custodia el cuerpo incorrupto de la Santa. Pero si, en vez de entrar en la cocina, te desplazas a tu izquierda, puedes entrar en un hermoso salón de estar, dueño de una enorme lareira que está ocupada por un grandísimo ramo de flores tropicales que alguien, posiblemente la hembra de mi matrimonio guardián, dispuso allí. El ramo se halla iluminado por unos focos que envían su luz desde el interior de la chimenea y el efecto es notable.

En una de las cuatro ventanas por las que penetra la luz en el interior del salón, en la que está justo al lado de la lareira, sobre lo que fue la pila de piedra del fregadero, un pequeño y frondoso bosque de helechos y de otras plantas consigue que los dos espacios existentes a ambos lados del cristal se confundan. Una mesa camilla, una torre de música y un tresillo de madera de caoba labrada a mano, completan la estancia en la que tendré que aprender, de una vez, a dejar transcurrir las tardes del invierno, mientras leo o mientras recuerdo, amodorrado, la historia de un tiempo que ya se fue. Mientras pienso la historia de este tiempo que se va.

¿Qué fue lo que me trajo hasta aquí, hasta esta soledad verde en la que ahora habito? Al principio fue una sensación de temblor generalizado, que se hacía más patente al llegar la noche; temblor que sólo yo sentía y que nadie era capaz de observar por mucho tiempo que, a instancias mías, permaneciese mirándome. «Cosas del genio», argüían resignándose a una contemplación a todas luces inútil; y yo me quedaba tranquilo, satisfecho en mi vanidad, reposado en mi hipocondría. «Neuras de artista», sentenciaban, y, en tan estúpidas conclusiones, descansaba mi espíritu abatido y semiconsciente de que algo se avecinaba sin que yo pudiese alcanzar a saber su procedencia y a sospechar su magnitud. Eso fue todo durante meses.

Llegó un momento en que decidí consultar con un médico. De aquella sensación de temblor, que no era más que eso —una sensación, tan sólo— pues nada en mi cuerpo se alteraba visiblemente, pasé a poder contemplar yo mismo un ligero temblequeo que, la verdad, me negué a admitir y, por ello, concluí por atribuirlo a la tensión en la que constantemente vivía; de aquella sensación, decía, pasé, antes de llegar a obsesionarme con temblor alguno, a sentir un dolor real distribuido por todo mi cuerpo; uniformemente en ocasiones, caprichosamente repartido a veces; pero generalizado, casi siempre, que fue el que me llevó al galeno.

Estaba en Nápoles. Por la mañana había visitado el Teatro San Carlo, recorrido incansablemente los lujosos e interminables pasillos; había observado, lleno de asombro, la estructura de madera en la que se sostiene todo el escenario y que, probablemente, sea la causa de que esté dotada, la música que allí suena, de una especial cualidad que la distingue, incluso de sí misma, cuando es interpretada en otro ámbito cualquiera y distinto de aquél. Después, había salido a pasear por la Via Caracciolo; acogiéndome a la sombra de los árboles, posiblemente con ánimo de que, en ella, mis entumecidos músculos descansasen, al ser postrado mi cuerpo sobre algún banco próximo a la Riviera de Chiaia, vecino ya de la Piazza de Nápoli.

Así sucedió, pero no descansó mi dolorido cuerpo y seguí caminando hasta que un indescriptible estado de placidez se apoderó de mí cuando, extenuado por el dolor, conseguí un taxi al que me subí, no sin dificultad.

De qué manera influyen en tu vida y con qué facilidad se toman determinadas decisiones de las que ya no es posible volverse atrás. Vas en taxi por el centro de Nápoles, te acuerdas de un amigo, lo llamas, te lleva a otro que va a serlo porque es médico y va a diagnosticarte y, cuando el día está mediado, tienes una definición de lo que te atosiga: polimialgia reumática. En realidad un diagnóstico erróneo de cuya fiabilidad me advirtió el propio doctor De Cesare al decirme que debería consultar posteriormente con un especialista y no contentarme con su primera catalogación del mal: Reuma a todo pasto.

A la vuelta de los años el reuma volvía a habitarme. Parecía una devolución de la jugada: si durante algún tiempo de mi vida, yo había fingido casi exactamente el mismo mal, para ocultar aquello que prefería velado, éste, ahora, fingía, a través de las palabras del doctor De Cesare, una existencia que era falsa, para enmascararme la realidad del mal de Parkinson y permitirme una prolongación, no sé si del sufrimiento o de la dicha. Y es que el miedo todo lo envuelve.

Les conté cómo mi primera gran crisis —antes había tenido otras, pero fácilmente dominables, es decir, de pequeña entidad— me había llevado a cumplir el servicio militar y a hacerlo en la Legión Extranjera, en los prolegómenos del conflicto de Sidi-Ifni, permaneciendo en el Tercio que se acuartelaba en El Aaium. No fui ni el primero ni el último, de los de mi estado, en hacer tal cosa. ¡Dios, qué tiempo! Cuando empecé a sentir silbar las balas en torno a mi cabeza, quedé clavado a la tierra con decisión tal que ni las más fuertes amenazas consiguieron que me incorporase. No sollocé. Tampoco dejé traslucir el pavor que me tullía, sino que con total impasividad, cuando vi que todo peligro había desaparecido, me levanté de forma lenta y trabajosa y, al serme requerida una explicación acerca de mi actitud, repliqué que padecía de reumatismo muscular en forma tal que no era prácticamente capaz de moverme.

Aún no me explico cómo, pero mi argumentación fue aceptada y me vi atado a ella como a un suplicio que llegué a suponer de peor entidad que el de Tántalo. Cuando todos avanzaban, a través de aquellos interminables y pedregosos desiertos, o lo hacían por las dunas que, iguales, se sucedían unas a otras, yo debía permanecer rezagado, caminando con la dificultad propia del reumático, en el que, voluntariamente, me había convertido, mientras gritaba «¡Esperad por mí!» y blasfemaba, al ver que no lo hacían, con potencia de voz lo suficientemente alta como para ser oído por ellos. Cierto que más de una vez, también me decía a mí mismo, o en voz no demasiado alta, «¡No corráis que es peor!», divertido por mi ocurrencia y feliz de evitar así los rigores de la primera línea.

Cuando empezaron a sonar los tiros en ambas direcciones, mis compañeros regresaban corriendo con más velocidad de lo que yo hubiese deseado. No estaba en relación la velocidad que llevaban a la ida con la que traían a la vuelta y yo, en cambio, tenía que mantener el mismo ritmo de marcha durante todo el tiempo: Si para acudir al frente, tenía que demostrar que corría todo cuanto mi enfermedad me permitía, al regresar a la base no podía hacerlo con mayor afán, sino más bien con menos, pues sería fácil colegir que me hallase mucho más cansado que a la ida. Así empecé a ser el último en reintegrarme al campamento. Y así llegó la ocasión en la que, mientras regresaba cansinamente al campamento, pude oir suspirar de forma lastimera y entrecortada la expresión "¡Dios mio, Dios mio!" y, a continuación, de modo ya más enérgico una rotunda blasfemia que incluía al anteriormente aludido; blasfemia que me permitió saber que se trataba de alguien que, al menos por un instante, merecía que yo levantase mi cabeza, hasta entonces decididamente pegada al suelo.

Comprobé aterrorizado que quien tan lastimeramente se quejaba, era el capitán de la compañía y, al ver que me observaba, sintiéndome obligado, me incorporé y, sin encomendarme, ni a Dios ni al diablo, empecé a pegar tiros, los primeros de mi vida en el frente de batalla, con una vehemencia propia de neófito y una abundancia semejante a la que, un judeo converso, pone en ejecución a la hora de afirmar las razones de su nueva verdad asimilada, y de forma tal que, por un momento, se hizo el silencio alrededor del ruido que brotaba de mi fusil ametrallador. Lo aproveché para, insensatamente, echarme el doliente cuerpo de mi capitán al hombro, es decir, de mi supuestamente dolorido hombro, y sin dejar de disparar, y de hacerlo de forma espaciada y sincrónica, hacia todo lo que se movía o asomaba detrás de las piedras de la hammada, irme acercando despaciosa, dificultosamente hasta nuestras líneas.

A partir de entonces fui el reumático más famoso y venerado de la Legión y mi nombre comenzó a traspasar las fronteras del frente de batalla. El hecho de que fuese el último en regresar y que siempre lo hiciese erguido, unido al del episodio del capitán, es cierto, fue suficiente hazaña como para conseguir con ella que nadie se acordase de que era también el último en avanzar; y así mi miedo me indujo al valor de forma tan temeraria como reconocida; que de tal modo se escribe la historia en tantas y tantas ocasiones.

Recordar esto, al tiempo que contemplaba a un mirlo dando saltos al otro lado de la ventana, fue uno de los primeros ejercicios de evocación que realicé en la Casa de la Santa. ¡Ah, qué tiempos los del Aaium! Pensar que, gracias a esta supuesta hazaña, conseguí reintegrarme a mi vida cotidiana no dejó de causarme estupor, en el momento de estar contemplando los desplazamientos del mirlo de pico tan de color naranja que resultaba insultante. Tan insultante al menos como la enfermedad extendiéndose por mi cuerpo en sentido inverso a mis deseos de vivir. Casi igual que en los tiempos del Aaium.

Capítulo segundo

Tanto si se trata de la abeja como de noso-
tros mismos, llamamos fatal a todo lo que
aún no comprendemos.

Maurice Maeterlinck, *La vida de las*
abejas, Libro Segundo, Cap. VI.

Me quedé dormido sobre el sillón del cuarto de
estar. Cuando desperté habían pasado muchas horas, tantas como para que uno de mis primeros movimientos conscientes fuese el de buscar a través de
la ventana, brincando entre las flores rojas, al mirlo
que habitaba en la camelia. Pero antes necesité de-
sentumecerme; me había quedado frío, a pesar de
que era indudable que la calefacción funcionara, al
menos, durante gran parte de la noche, y necesitaba
ahuyentar de mí la humedad que me había penetrado
hasta los huesos. Me incorporé del sillón con más
optimismo del que, de tanta soledad, cabía esperar. El
mirlo no ocupaba su lugar en mi ventana; y sin embargo la camelia lucía hermosa. Tenían sus hojas ese
brillo especial que el amanecer les presta cuando la

luz del sol incide, con intensidad levemente creciente, sobre la humedad que, en ellas, depositó el rocío.

El mirlo se había ido y mis fámulos no habían llegado. Lo hicieron un par de horas después de que yo me despertara, cuando ya había recorrido toda la casa, inspeccionado todas las dependencias y decidido algunos extremos concernientes a la distribución de los espacios, la colocación de algunos muebles y el uso debido de algunas pertenencias. Incluso había cogido alguna fruta de la nevera y calmado con ella el hambre que acusaba mi estómago, vacío desde el mediodía anterior.

Al contrario que una buena colección de música en reproducciones analógicas y digitales, lo que no había, ni hay, son muchos libros, ciertamente. Tendré que irlos comprando poco a poco hasta llenar las estanterías vacías. Tendré que ir llenando las paredes con más cuadros de los que vi en mi primer recorrido por la casa.

Al lado de la vivienda principal está la que es propiamente la Casa de la Santa. Llegué a ella, una vez que hube salido al jardín, enarbolando las llaves que encontré para abrir la puerta con cierto temor infantil que me conmovió e hizo sonreír.

Ya habían estado en ella y me agradó el orden y la limpieza que habían dejado. No encontré el olor que esperaba hallar ocupándolo todo y deduje que, donde la santa había reposado, era en la única habitación que permanecía vacía y toda ella blanca, sin ningún adorno en las paredes; tan sólo una hornacina en una de las exteriores, aprovechando un hueco que debió de ser, en algún tiempo, el que ocupaba una ventana.

En el tercer edificio importante, más pequeño que los otros dos y que, antes, había estado ocupado por el lagar y servido igualmente de bodega, había ordenado que me tuviesen dispuesto un taller de carpintería completo. Si no a componer música sí, al menos, quería dedicar mis días a construir instrumentos musicales, cellos, violines, contrabajos; incluso, y acaso sin saberlo de una forma definitiva, tenía la extraña intención de construir reproducciones de los que están en actitud de tañer los ancianos del Pórtico de la Gloria. Ya que no me era dado componer ni interpretar la música, quería construir los recintos de los que ella pudiera surgir.

Al menos eso era lo que yo quería reconocer en mi intención inicial, pero lo cierto es que se debiera, más probablemente, a un cierto afán, no sé si ingenuo, de disciplinar mis movimientos, de someter mi cuerpo a un rigor producto de la ocupación manual o, lo que es lo mismo, a creer que así sobreviviría más tiempo. Como si eso fuese tan importante.

Observé todo dispuesto en el interior del recinto, a través de una de las ventanas, sin decidirme a entrar, pues quería ir a recoger el resto del equipaje. En ese momento sentí el ruido que hacía al elevarse el portalón existente entre la casa del servicio y la mía, el que da acceso al jardín en el que nacen las hiedras que trepan a los huecos abiertos de las ventanas; al jardín desde el que trepa la buganvilla que va hasta el recinto de entrada.

Eran los criados. Los dejé que entrasen con la furgoneta y que cerrasen la puerta exterior, antes de hacer del todo evidente mi presencia; presencia que ellos ya habrían podido adivinar por la del coche aparcado delante de la casa. Así lo hicieron, entraron, pero ya con los gestos nerviosos y apresurados de quienes se saben objeto de una más que posible observación.

Eran esbeltos. Contrariamente a lo esperado, eran esbeltos. Se me había metido en la cabeza que, lo más seguro, era que fuesen bajos y de complexión fuerte, pero no era así. Ella incluso era hermosa y, esa condición, me produjo el bienestar que causa la contemplación de la belleza. La mañana a partir de aquel momento era distinta; la temperatura, amena; los colores, tamizados por una luz que llegaba hasta mis ojos afectada de no se sabrá nunca qué alteraciones químicas; todo era distinto y sentí un hálito de vida invadiendo mi cuerpo tembloroso.

Fue ella la que se dirigió a mí, tan pronto como me vio:

—¿Don Joaquín?

—Sí.

—Nadie nos avisó de su llegada.

Me acerqué y le extendí la mano, queriendo que no me temblase, pretendiendo que al estrechar la suya pareciese firme y serena, llena de un vigor que había ido desapareciendo poco a poco; quería que mi mano fuese fuerte y dudo que lo lograse.

En seguida fue él quien se acercó:

—Se nos hizo tarde y dormimos fuera. Lo siento.

E inmediatamente me dio cuenta pormenorizada de todo cuanto habían hecho.

Le escuché atentamente, permaneciendo de pie a su lado, mientras sacaba de la furgoneta cosas tan diversas como una cortadora de setos, cajas de semillas, bebederos e, incluso, gallinas. Había ido por ellas no a una granja sino a la casa de unos amigos.

—Son del país y no están alimentadas con piensos como lo estarían de ser de alguna granja. Todo maíz, verduras y el pico en tierra.

Asentí sin dejar de observarles. Habían estado en Alemania, me explicaron, trabajando en una granja dedicada a la desintoxicación de drogadictos. Parecían tener prisa en explicarme estos extremos y en clarificar una serie de cuestiones que yo había delegado en mi tío Álvaro.

Habían tomado la casa como suya y ordenado todo con inteligencia y tacto. Dinero no les había faltado para ello, ciertamente, y la casa estaba dispuesta para recibirme de acuerdo no ya con mis in-

24

dicaciones, que apenas las había insinuado, pero sí con mis deseos; deseos que mi tío debía conocer o, al menos, imaginar... ¿Qué años tendría Álvaro? ¿Noventa? ¿Noventa y ...cuántos? Pregunté por él.

—Está bien, le envía recuerdos.

—Apenas sale de casa. Tan sólo los días de sol.

Pero no sabían la edad, aunque la suponían avanzada, muy avanzada.

Si habían estado en una granja de desintoxicación era porque lo habían necesitado, pero preferí no interrogarles al respecto. ¿Qué necesidad tendría yo de convertir mi hogar en un lugar de rehabilitación de nadie? Tendría ya bastante, incluso más que suficiente, con intentar no inhabilitarme yo mismo demasiado deprisa. Sentí una especie de mareo, o de vértigo, al pensar en la especie de asilo en el que podría concluir la Casa de la Santa.

Cuando la furgoneta estuvo descargada, ella preparó un té de mango y nos lo bebimos, los tres, en el jardín de la casa.

—Me gustaría tener una pareja de mastines.

No me respondieron de inmediato, ni me dijeron: «Los tendrá». Al cabo de muy pocos segundos, habló ella:

—Tenemos unos amigos que pueden proporcionárnoslos.

Tenían amigos para todo: amigos para que suministraran gallinas, amigos para proporcionar perros, amigos para encontrarles trabajo en mi casa, amigos en demasía para facilitar cualquier cosa que pudiera ser precisa. Me pregunté en qué extraña asociación estaba siendo introducido.

Tuve que explicar que ya había dormido en la casa y mostrar un semblante adusto.

—Hay que subir mis maletas a las habitaciones.

Para ser el primer encuentro ya habíamos hablado demasiado y decidí dedicar el resto de la mañana a conocer lo que me faltaba de aquel recinto que el

25

destino, mi anciano tío Álvaro y todo el dinero del que se dispusiera, me habían deparado.

A lo largo de la mañana me pregunté, en distintas ocasiones, acerca de las extrañas circunstancias que encierra la convivencia. Aquel matrimonio, o aquella pareja, pues ni siquiera les había preguntado el carácter de su relación, se había incorporado a mi vida de una manera excesivamente natural. Habían llegado, procedido a descargar una furgoneta de la que habían bajado incluso gallinas y todo ello sin, ni siquiera, preguntarme si en «mi» casa estaría bien considerada aquella presencia, si «mi» dinero estaba o no bien empleado en aquellos gastos o si ellos eran aceptados por mí.

Tanta soltura me produjo una cierta desazón y, cuando ella llegó hasta el manzano bajo el que me había sentado para avisarme de que la comida estaba dispuesta, me permití ser hosco:

—¿Y tu marido?

Su marido había llamado por teléfono a unos amigos y se había marchado casi inmediatamente después; se trataba de una sorpresa, le explicó mientras se subía de nuevo a la furgoneta.

Había dispuesto la mesa, para mí solo, en el salón de estar con su hermosa lareira y el tresillo de madera de caoba, y se lo agradecí. En el camino de la huerta a la casa me había preocupado la posibilidad de que, compartir mesa y mantel, evidenciase la torpeza de mis movimientos, el temblor de mis manos, el de mi cabeza.

—Comeré siempre en este sitio.

Afirmé al sentarme, con objeto de dejar bien clara mi opción a la soledad y mientras ella comenzaba a servirme; pero sabía que algún día, tendrían que darme de comer y, entonces, el alimento, me supo amargo.

Poco a poco me fue invadiendo el letargo post-prandial y me quedé dormido sobre la mesa camilla. Desperté al oír de nuevo el ruido de la furgoneta y el del portalón al elevarse. Miré el reloj y vi que era, casi, media tarde; dudé entre si debía dejarme invadir por la ira o, por el contrario, mostrarme alegre después de haber echado eso que se suele llamar una siestecita benefactora. Opté por lo segundo, pero había dejado sin ir a visitar a mi tío Álvaro, que ya sabría de mi llegada a la nueva casa.

Al acercarme al garaje pensé que habría que techarlo, con una cristalera que lo convirtiera en un invernadero y que al mismo tiempo, protegiese los coches, amparándolos de la lluvia y las heladas; entonces vi el mío debidamente aparcado delante de la furgoneta de la que descendía, sonriente, el conductor. Se dirigió a mí:

—¡Sorpresa!

Y atajó así la pequeña dosis de irascibilidad que, al pensar que había cogido las llaves sin mi consentimiento, empezaba a ocupar mi espíritu últimamente tan alterable. Sonreí como pude, es decir, con la cara acartonada e inexpresiva que quizá ya en aquel momento debía de disfrutar, dada mi condición de parkinsoniano, aunque no fuese de forma definitiva.

La busco en ocasiones, observándome en el espejo y sé que aún no se hizo posible e inalterable; pero intuyo que ya está ahí, latente debajo de mi piel, esperando el día propicio para aflorar inmutable y llenarme de pavor. Y día tras día me dedico a adivinar delante del espejo la proximidad del síntoma, que no ha llegado.

—¡Sorpresa!

Y me quedé sonriendo ingenuamente, como un niño, mientras él se dirigía a la puerta trasera de la furgoneta para abrirla y dejar que un hermoso cachorro de mastín saltara al suelo, seguido de una hembra de la misma raza.

Me pasé el resto de la tarde jugando con ellos y acariciándolos.

—Yakin y Boaz...

Dije en algún momento de aquel atardecer; pero dudé todavía mucho rato acerca de si aquéllos eran los nombres apropiados para los dos cachorros de apenas unos seis meses de edad. Pensé otros y acaso no venga a cuento el repetirlos, pero al final, Yakin y Boaz, quedaron como los nombres de aquellos dos seres, hoy ya tan incorporados a mi vida.

Jugué con ellos el resto de la tarde, es cierto; lo hice llevado de ese afán de posesión que nos caracteriza a todos, pero que nos afecta en mayor medida a los viejos, aquejados como estamos de la necesidad de que algo o alguien, dependa de nosotros, de que se nos necesite. Por eso los acaricié interminablemente; por eso los llamé por sus nombres, pronunciándolos en voz baja y grave, y los premié cada vez que respondían a mis solicitudes. Caminé por la finca haciéndome seguir por ellos y, cada vez que me adelantaban, ignorándome, me escondía para lograr que me buscasen, y que lo hiciesen con cuanta más desesperación, mejor.

Fui yo quien les dio su alimento y, después, consentí en que se acostasen a mis pies, uno a cada lado de la silla, mientras yo cenaba, solo, en el salón de la lareira, y sentía a la pareja hablar en la cocina, comentando las noticias que surgían del televisor encendido, pero no muy alto de volumen.

Cuando terminé de cenar hice que los sacaran a la finca, después de haberlos acariciado largamente, y pude ver, satisfecho, cómo se resistían a ser alejados de mí al observar que permanecía sentado en mi sitio, sin moverme sin levantarme y triste por su marcha.

Cuando subí a la habitación, tenía las maletas deshechas y toda la ropa debidamente ordenada en los armarios. La verdad era que la pareja, parecía eficaz y diligente, pensé.

Mi primer día con ellos fue así de sencillo. Mientras esperaba a conciliar el sueño, reflexioné en todo lo que aquella segunda jornada de estancia en mi nuevo hogar había traído consigo. La pareja había irrumpido en mi vida sin aspavientos e iniciado, sin traumas, una convivencia que, a las pocas horas, parecía añeja. Creo que a pesar de mis reservas, nos aceptamos mutuamente desde un principio.

Debí de dormirme pensando en todo esto; también en los perros; incluso en mi tío y en la obligación ineludible que tenía de ir a visitarlo nada más me despertase al día siguiente; ni siquiera se me había ocurrido llamarlo por teléfono, aunque no creo que le importase en absoluto. Durante años nuestras relaciones habían sido escasas y, cuando se producían, eran de tipo formal o de simple puesta en mi conocimiento de los negocios familiares que él había atendido, cuando no creado. No lo había llamado y sanseacabó. Éramos, los dos, adultos; los dos, ancianos; los dos, personas consideradas serias, en medida suficiente, como para andar a vueltas con subterfugios o con la maldita manía de simular sentimientos o situaciones inexplicables. Yo odiaba hablar por teléfono. No me disculparía con nada.

Pero de todas formas debía de llamarlo, agradecerle todo lo que había hecho por mí al buscarme una casa, al contratar unos servidores, al no dejar de ser mi tío durante tantos y tantos años.

Me despertó la luz de la mañana a una hora prudencial; cuando aquí amanece ya es de día en el resto de Europa y siempre tengo la sensación de ser un privilegiado que se levanta tarde. Me levanté y me duché estrenando el cuarto de baño, todo de madera y piedra, entreteniéndome en el afeitado, acicalándome demoradamente. Bajé y mientras me servían el desayuno, saludé a los perros, acariciándolos, y les serví a ellos su alimento prefabricado. Después los dejé entrar conmigo en la casa y desayuné con la misma liturgia de la cena, acompañado por Yakin y Boaz, uno a cada lado de mi silla.

Había amanecido con sol y el día invitaba al paseo. Recorrí la finca seguido por los perros y, cuando vi que me obedecían lo suficiente, me decidí a salir del recinto en el que, por tercer día, estaba recluido. Lo hice por los alrededores; salí, bordeando la casa, hasta la parte trasera de la finca y, de allí me dirigí hacia el centro del pueblo, pero sin decidirme a entrar en la iglesia que lo preside todo y guarda el cuerpo de la santa que antes permaneció en lo que ahora es mi hogar.

Regresé pronto. Había decidido bajar a comer a La Ciudad, ir a visitar a mi tío.

Cuando los guardas vieron que me dirigía al garaje, con intención de subir al coche, intentaron que uno de los dos me acompañase.

—Ya os hartaréis de llevarme y traerme —les advertí; afirmación que llevaba implícita la de mi aceptación de su permanencia, en el futuro, en la casa.

Cuando me vi esperando turno ante el semáforo del cruce del camino que viene de Brión con la carretera de Noia, me acordé de que ni siquiera les había impartido instrucciones; lo que no me preocupó. Habían demostrado sobradamente que eran más que capaces de organizarse y organizarme la vida.

Giré a la izquierda y me dirigí a La Ciudad. Mientras conducía e iba dejando atrás casas hermosamente reconstruidas al lado de urbanizaciones recientes, o en proceso de edificación, constaté de nuevo la absoluta capacidad que los humanos tenemos para lo dispar. Me había reintegrado a mi país entrando por el acceso sur, por el Padornelo y A Canda, luego por Ourense y de allí, llevado por un afán irrefrenable de ver el mar, a Vigo; de Vigo a Pontevedra; de Pontevedra a Vilagarcía, pasando

papisa Juana, en su séptima reencarnación mal entendida, y que quiere tener amores arzobispales y sacrílegos porque, afirma, son los que dejan más descansadito el cuerpo. Para conseguirlo pide limosna de amores diariamente en la puerta de Platerías, mientras oye descender el agua desde los hocicos de los pétreos caballos de la fuente.

Y tan sólo la invade la tristeza.

En el recuerdo, La Ciudad, es silenciosa. Todo viento. Las torres son de viento, de viento son las campanas, incluso las almas de las gentes son inmensas bóvedas de silencio que, tan sólo, el viento conmueve; de viento son los ruidos que, entre tanto silencio, habitan. La Ciudad es taimada. Las mentes son taimadas. Todo es astucia. Cuando sopla el viento, y sopla casi siempre, el aire se puebla de silencios que lo ocupan justo en el momento de irse hacia ningún lado. La Ciudad lo es a base de esos silencios, en ellos se sustenta y de ellos es dueña. El silencio lo llena todo. El viento no se oye, se siente. No zumba, abate. Entra por las nueve puertas que se saben de La Ciudad y, sea cual sea por la que se introduzca, la recorre toda entera. Da vueltas en las esquinas, retrocede sobre lo andado, da cuantas vueltas quiere, el aire; da cuantas precisa y quiere.

Cuando el aire, es decir, el aliento, el ánimo o, lo que es lo mismo, el ánima convertida en viento recorrió silenciosamente La Ciudad entera, porque La Ciudad es toda viento, ánimo; cuando ya lo hizo, sale; pero nadie sabe por dónde. No sabemos por dónde pudo entrar: si por la Porta da Mámoa, si por la de Mazarelos o por la de A Pena; algunos, a veces, están seguros de que fue por la de O Camiño; otros, seriamente, afirman que, en tal día, lo hizo por la Faxeira y, así, hasta nueve. Pero nadie discute si se fue por una, o si se fue por otra, porque eso ni se sospecha. Se sabe que se fue el viento, pero no por dónde. Acaso porque no importe mucho con tal de que con él se lleve el tiempo y todo lo que con él trajo.

Así el tiempo es algo que siempre se está yendo de La Ciudad apenas llegó a ella. Por eso La Ciudad permanece ajena al Tiempo, inalterable, por él escasamente conturbada. Tal cual desde hace siglos. Tal cual. Por eso se afirma que se cierne sobre sí misma, o que levita, y que lo hace tanto y de tal forma que muchos dudan de que exista y suponen que La Ciudad es tan sólo una invención de la mente. ¡Qué va a serlo! Está ahí, eternamente, levitada. También en el recuerdo.

Pudiera parecer que La Ciudad está en la cumbre de un monte, pero no es así. Está en una ladera, dulce en ocasiones, erizada en otras, alejada de dos ríos que le son extraños y sin embargo la enmarcan. Y está La Ciudad extendiéndose como pudiera hacerlo una ameba, alargándose en pseudópodos, deformándose, convulsa y agitada, hacia un río, de tan pequeño, inexistente, apenas un regato, queriendo alcanzarlo para conseguir una nueva extensión que acaso no le corresponde. Así es La Ciudad.

La Ciudad está posada sobre la tierra. ¿No vio el profeta descender a Jerusalem cuando «bajaba del cielo de junto Dios, radiante con la gloria de Dios»? ¿No «brillaba como una piedra preciosísima semejante al jaspe claro como el cristal»? Pues de igual manera La Ciudad descendió de algún sitio y se posó sobre la blanda ladera de un monte, ajena a los ríos, limitada por regatos, dueña de robledas que todavía lo son, y, una vez que se hubo posado, se desparramó por sobre las faldas amenas de otros montes o por sobre las colinas que nadie contó jamás en su número, pero que acaso pudiesen ser veinticuatro, como veinticuatro son los ancianos que se ocupan y preocupan en esperar el fin de los tiempos sentados en La Puerta más solemne de La Ciudad, aquella que tiene en su cumbre al Cordero que la ilumina, para que así «no necesite sol, ni luna, que la alumbre, la gloria de Dios la ilumina y su lámpara es el Cordero».

¡Oh, La Ciudad, cómo se fue extendiendo! Tanto lo hizo que, ahora, son doce los sitios por los que puedes acceder a ella, aunque tres no se conozcan. Se sabe que tres de ellos dan al sur; que tres lo hacen al norte y tres al este y que, por los tres que quedan, se sale hacia donde el sol se pone y se encuentra el fin del mundo, el mar infinito. Cuando se oculta el sol se intuye el mar y, si la intuición llega, cuando estás al pie de La Puerta, la limpidez del aire es como de jaspe y el cielo semeja un jacinto de compostela. Tan rojo es o así de roja es su color.

Así era, es, en efecto, La Ciudad en el recuerdo, asentada sobre una imposible cordillera de colinas, mientras me dirigía a ella, conduciendo el coche por una carretera de un ritmo, de una cadencia, extraños y elocuentes, y preguntándome si entraría en ella por alguno de los tres accesos de los que nadie sabe y todos sospechan.

Y entré en La Ciudad y La Ciudad no estaba.

Capítulo tercero

Me puse excesivamente nervioso al llegar al primer semáforo. Lo que yo pretendía era acercarme
hasta la estación de ferrocarril y, desde allí, subir
por el Hórreo a la Plaza de Galicia; pero no pude
hacerlo. Cuando creí que me había detenido en el
lugar correcto después de haberme entretenido en la
observación de un muro de piedra de más que dudoso
gusto, erigido en loor de no se sabe qué y desconozco
con qué objeto (el muro se halla a la izquierda del
semáforo y en la entrada al campus universitario)
me aturullaron los claxonazos de unos cuantos acé-
milas que mostraban así su disconformidad con mi
escasa capacidad de reacción a la hora de echar a
andar de nuevo el automóvil. ¡La que hubiera arma-
do de no tener cambio automático!

Con todo y con eso pretendí seguir de frente, pero otro claxonazo, esta vez de un camión de no sé cuántos ejes, me decidió a girar impulsiva e instintivamente a la izquierda; así, en vez de continuar por la carretera de circunvalación como había pensado, me vi impelido, a fuerza de claxonazos y también de carencia de espacio, a enderezar mi camino hacia el Camiño Novo. Lo hice con todo el nerviosismo del mundo, intuyendo los gestos agrios de los otros conductores, la displicencia de algunos, la curiosidad de los peatones y mi rostro aterrorizado y, sin saber cómo, me vi girando a la derecha, en la primera ocasión que tuve, para entrar en una plaza que desconocía. La rodeé y la existencia de un aparcamiento subterráneo en el centro, me decidió a dejar abandonado allí el coche para continuar a pie un camino que, el temor metido dentro del cuerpo a base de claxonazos y otros adelantos modernos, me impedía afrontar conduciendo.

Caminé por la plaza, sin dejar de hacerme preguntas, sorprendido, como si me encontrase en una ciudad extraña, hasta que la inscripción que ocupa un monolito y el reconocimiento de la casa de comidas de Vilas, me devolvieron la noción de la realidad y del territorio que pisaba.

Medianamente orientado fui descendiendo con lentitud hacia donde suponía que habían estado las brañas de Ramírez, en la parte baja de los campos del mismo nombre, hacia el lugar en el que, a causa de la lluvia, se solía acumular tal cantidad de agua que era suficiente como para que los niños construyésemos balsas con troncos, o con tablones de madera, y navegásemos aventuras imposibles por un pequeño mar en el que, muchos de nosotros, se hubiesen podido ahogar de haber tenido la poca fortuna de venirse de la balsa abajo. Nada de aquello quedaba. Una plaza, extraña en su concepción, ocupa ahora el lugar que yo supongo el de la laguna de mi infancia más niña. La Plaza es un espacio vivo, ocupado por las gentes. Decenas de chiquillos de ambos sexos, se deslizan en patines por zonas que, si no fueron pensadas para tal uso, debieron haberlo sido; tan idóneas resultan para ellos. Los que no utilizan patines, montan sobre esas tablas deslizantes que, dotadas de ruedas y de la habilidad precisa de quien las maneja, sirven para que los muchachos desciendan a velocidades increíbles, dueños de equilibrios portentosos, por las cuestas que confluyen en La Plaza —aquellas por las que antes descendían, veloces, las aguas de las lluvias— mientras compiten con los automóviles que, lentos y avisados, se dirigen a rodear el cáliz central posado sobre el agua estancada y tal una patena.

Decidí sentarme. Lo hice a la mesa de una de las terrazas que cubren las aceras amplias de las calles adyacentes y de los márgenes de la plaza, que la voz popular llama Roxa, dispuesto a la contemplación del incesante ir y venir de gente de un lado a otro.

Una vez sentado y después de un rato de observar lo que me rodeaba (la eclosión de muchachas hermosas que tanto me conturbaban, los enormes edificios, la muchedumbre circulando como en una gran ciudad) caí en la cuenta de que aquél era el regreso a la laguna de mi infancia. Su lugar se hallaba ahora ocupado y transformado en algo que antes no existía. Una ciudad y sus gentes ocupaban el espacio que la laguna tenía reservado en mi memoria. Intuí que, a fuerza de ascender por aquellas nuevas rampas llenas de coches acabaría por encontrar La Ciudad que, ahora, me había sido usurpada. Pero no supe afrontar el reto y me senté en la terraza de la cervecería «El Choop», un establecimiento más de los muchos que por allí hay, probablemente en el mismo lugar en el que me encontraron en aquel ya lejano día en el que murió mi padre, cuando vinieron a buscarme con el propósito de decirme que era

huérfano: «¿Oyes tocar a muerto en la Catedral?».
Me preguntaron. «Pues es por tu padre. Corre.»

Había llovido y navegábamos por la enorme char-
ca. De un poco más arriba, de por A Rapa da Folla,
nos llegaban los gritos agudos, histéricos, de una
discusión entre las putas que nos distraían así de
nuestra ocupación fundamental: la de impulsar la
balsa con una pértiga mientras comentábamos si el
agua de la traída habría de ser buena o no para las
casas. Las palabras modernidad y progreso habían
ocupado nuestras inteligencias y, gracias a ellas, nos
imaginábamos un porvenir más luminoso para La
Ciudad. Había incluso quien preconizaba las calles
repletas de coches de punto como mayor medida de
avance ciudadano y quien, atrevidamente, llegaba a
proponer no sólo una estación de ferrocarril mucho
mayor que la existente, sino las rúas ocupadas por
automóviles que circularían, uno detrás de otro, de
forma interminable. Pero todo pasaba por el servicio público de agua que abasteciera a La Ciudad. En
esos términos se había establecido la discusión que,
de un modo u otro, ocupaba todas las mentes ciuda-
danas. Un pueblo limpio era sinónimo de un pueblo
sano y, por lo tanto, estaría en condiciones óptimas
de afrontar el progreso.

Mi padre fue un decidido impulsor del servicio
público de conducción de agua a La Ciudad. Ya no
recuerdo su rostro, apenas lo recuerdo a él. Carezco
ya de las sensaciones que, durante algún tiempo, me
lo recordaron; así, sus manos cálidas, el olor de sus
ropas, la barba áspera o su figura grave que caminaba con parsimonia y solemnidad, el recuerdo de
todo ello, ya no me pertenece; hace años que se des-
vaneció y la laguna fue siendo ocupada por las
imágenes de las mujeres que amé, los paisajes que
viví, todo aquello que me trajo a esta soledad que habito hoy. Probablemente estaba sentado en este mismo sitio cuando me hablaron de su muerte y todos

los niños suspendimos nuestros juegos. La noticia fue transmitida en voz baja de unos a otros y el silencio permitió que sonaran más graves los badajazos de la campana de nombre «Jesús, José y María» que colgaba desde hacía cientos de años del campanario de la torre Berenguela. Mi padre no era cualquiera, a la hora de morirse; ni siquiera a la de tratar el tema que, hasta justo ese momento, nosotros estábamos tratando; mi padre era el alcalde. Y si la polémica dividía a los habitantes de La Ciudad e incluso dividía a las familias, también nos afectaba a los niños que navegábamos balsas en los estanques que la lluvia nos dejaba. Suspendimos el juego y, cuando conseguimos la orilla, fui el primero en pisar tierra. Los demás me siguieron en silencio, pero me dejaron ir solo.

Me fui directamente a casa, pero no lo hice corriendo. Ascendí con lentitud, no sé si premeditada, hacia A Rapa da Folla para seguir por A Carreira do Conde, la antigua Vía Antonina, la del Camino Portugués, mientras oía, cada vez más próximas, las campanadas de la Berenguela. ¿Cómo describir el sonido grave de la más grave campana, cuando ésta toca a muerto y tú la escuchas sonando mientras te encaminas hacia la casa en la que tu padre agoniza? No me atrevía a llegar pronto, deseaba hacerlo cuando todo hubiese finalizado y empezaba a imaginarme todos los acontecimientos como si le estuviesen sucediendo a otro, como si le fuesen a ocurrir a otra persona. Lo hice así por primera vez en mi vida. Luego habría de hacerlo muy a menudo. Consistía en imaginarme lo todavía por acontecer de una forma distante y distanciada, como si no fuese conmigo, previéndolo todo, suponiéndolo todo; de manera que, cuando los hechos se producían en la realidad y no en mi mente, era capaz de vivirlos sin sorpresa e incluso con frialdad. Curiosamente no se producía sufrimiento, ni cuando me los imaginaba ni cuando sucedían. El sufrimiento venía después, cuando todo había pasado y me dejaba invadir por su recuerdo. Era en él, en el recuerdo, en donde los sentimientos que habían estado contenidos se desbordaban y me dejaban inerme e incapaz de reprimirlos. Y era entonces cuando ya podía llorar. Pero ya era tarde. Y ya nadie me veía para poder atestiguar que yo era tan sensible como cualquiera; la única diferencia consistía en que mi sensibilidad era un artefacto de espoleta retardada que solía explosionar cuando ya nadie se acordaba de ella.

Me sucedió así a lo largo de toda mi vida y, algunas de mis depresiones fueron atribuidas a causas tan pintorescas que ni mereció la pena desmentirlas. Me enfrenté siempre a mi destino ascendiendo hacia él con idéntica lentitud a la empleada, el día de la muerte de mi padre, en llegar a casa; una lentitud llena de contumacia que no tenía otro objeto que el de darme tiempo a imaginarme todo lo que en ella me esperaba; porque la elección era sencilla, o eso, o la locura. O la serenidad mesurada y ajena o la angustia surgiendo a borbotones.

Llegué a casa y encontré el silencio. No dejó de sorprenderme, porque mi padre siempre había vivido rodeado de gente y algo me hacía suponer que, igual de rodeado, se habría de ver a la hora de la muerte. Y no había nadie.

¿Quién había venido a darme el aviso? No lo recuerdo. Quizá alguien que pasaba por allí; en tales ocasiones siempre hay un alma caritativa deseando comunicarte una noticia de esta índole; una noticia que te haga reflexionar y ayude a convertirte en un hombrecito. En una persona mayor y madura. Recuerdo, por el contrario, que me acerqué al comercio de mi tío Álvaro, el mayor opositor a los planes de mi padre.

—¡Ese extravagante!

Me dijo nada más verme y mientras me posaba

42

una mano sobre el hombro, en lo que supuse que quería ser un abrazo. «¡Ese extravagante!», repitió. «¡Mira que no le advertí que ya no estaba en edad de andar montado a caballo!» y siguió murmurando durante algún rato que si «estaba gordo en exceso», que si «maldita la necesidad que tenía de ir de paseo», que si el que mi madre lo hubiese dejado viudo no lo justificaba en absoluto o si, ya en un tono que me sorprendió, «aquellas historias de si tu madre tenía cuatro tetitas de más, no tenía por qué haberlas comentado ni conmigo, por muy borracho que estuviese, y máxime teniendo en cuenta que yo ya lo sabía».

Con la mano de mi tío posada sobre mi hombro paseamos un buen rato por la trastienda del local. De vez en cuando Álvaro se acercaba al cristal del escaparate, apoyaba la frente en él y —a través de unas raspaduras que tenía hechas en la pintura, blanca y ya, de tan marchita, acastañada— observaba el ir y venir de la gente por la Praza do Toural. Sospeché, en aquella ocasión, que lo hacía con ánimo de ocultar su emoción y alguna lágrima que lo velado de su voz denunciaba; pero estoy convencido de que la pena por la muerte de mi padre, la emoción que lo embargaba y el sentido de la discreción que, desde pequeño, lo había distinguido no le impedían, sin embargo, aprovechar tales momentos para atisbar las piernas de las muchachas que se inclinaban sobre la fuente intentando llenar de agua los recipientes que portaban. Mientras el General Quiroga, compañero de Riego, disfrazado de dios Marte y subido a lo alto de la fuente que le servía de se supone que merecido homenaje esperaba, impasible, el día de ser desbancado de su altivo pedestal, reclamado de su altura ciudadana por tiempos de mayor bajeza.

Mi padre se había caído del caballo, mejor dicho, el caballo había tropezado, se habían caído los dos y, la peor fortuna consistió en que fue mi padre quien se quedó debajo, aplastado por el peso del animal, señor de una agonía que imagino terrible y llena de desesperación e impotencia, deseablemente breve. A duras penas conseguí entenderlo y, aún hoy, una bruma espesa se cierne sobre mi memoria cuando intento recordar la conversación con Álvaro. En ella se mezclan los razonamientos acerca de la oportunidad del servicio de conducción de aguas —que Álvaro dejó de cuestionar casi inmediatamente después del fallecimiento de su cuñado, una vez que montó un próspero negocio de materiales de construcción y saneamiento en el que, como tutor mío en que se vio convertido, invirtió una parte de mi herencia para que se multiplicase de forma rápida y llena de inusitado fervor rentista— con las críticas a la equitación, la manía de montar cualquier tipo de jacas, mi pobre y prematuramente fallecida madre, una retahíla interminable de quiebros hacia el cristal del escaparate, alusiones a las modernidades extravagantes de mi progenitor y, por fin, el anuncio de que la capilla ardiente había sido instalada en el salón de plenos del Palacio Municipal.

Sin saber cómo, con el recuerdo, empezó a invadirme la tristeza. Una sensación de indolencia se fue apoderando de mí, y el deseo de permanecer postrado, ajeno a todo aquello que no fuera la contemplación de mi propia inanidad, se convirtió en el objetivo fundamental de aquella mañana que terminaba sin nada nuevo que aportarle a mi estado, como no fuese la recuperación del dormido recuerdo de la laguna tersa de mi infancia. ¿Qué me había llevado a aquella postración? Quizá el recuerdo, quizá la contemplación de aquel entorno joven que transcurría, ajeno a mí, a través de espacios que habían invadido el de mi conocimiento. El ser humano es así: incapaz de admitir que nada sea como él no lo pensó; incapaz de comprender que, si bien es cierto que la realidad existe porque existimos nosotros, cada uno tiene la suya propia y no debe imponérsela a nadie. ¿Cuándo se acaba el mundo? ¿De golpe? ¿Se va a cabar de golpe el mundo? ¡Y un cuerno! El mundo se va acabando, gota a gota, con cada vida que se extingue y lo demás son gaitas.

Me deprimió el entorno, la constatación de mi mediocridad, mi propia decrepitud. ¿En qué notas el transcurso de los años, en un gesto? Quizá. Pero también en su ausencia. De pronto descubres que tu pensamiento y tus actos no están sincronizados; que la sensación previa a la mirada deslumbradora que vas a dirigir a una muchacha hermosa, no encuentra su continuidad en el hecho físico de transformar aquella actitud mental en una fugaz visión que trascienda a tu propio entorno y que haga patente que tu deseo se vehicula, se transmite, materializado, en la intencionalidad que tus ojos le descubren al mundo que te rodea. En ese momento el mundo se extingue un poco y eres consciente de la falta de luz que tu mirada insulsa, indolente y abúlica, de enfermo, transmitió al objeto del deseo. No eres capaz de coordinar la juventud de tus afanes con la laxitud que tus músculos padecen; y te penetra la tristeza, una explicable tristeza.

Y las mañanas te descubren progresivamente el deterioro de tu rostro, la ausencia de tu gesto más frecuente, de tu mirada más llena de elocuencia y ya ni parpadeas, sino que te dejas ir, indolente, inexpresivamente, en el recuerdo que te perfora como tú nunca supusiste que pudiera hacer un recuerdo.

La capilla ardiente de mi padre estaba en el salón de plenos del Ayuntamiento y me acerqué hasta allí con idéntica falta de apresuramiento que me había llevado, primero, a mi casa. ¿Cómo es posible que se pueda caminar tan ajeno a la evidencia? Acaso sea por el deseo de ignorarla. Quizá mi padre no estuviese muerto mientras yo no pudiese confirmar la frialdad de su cadáver, la inalterabilidad de su rostro, su mano derecha amoratada y deforme por efecto del peso del caballo. ¿Qué más le había dañado? ¿Se le había ido la vida por aquella mano a la que yo solía asirme cuando, en las mañanas de los domingos, me acercaba al paseo de la Alameda a escuchar las interpretaciones musicales de la banda de música municipal, mientras los hombres se llevaban los dedos de su mano diestra a los sombreros, en actitud salutatoria y llena de respeto? ¿Por dónde se le fue la vida a mi padre?

Es indudable que hubo gente que se alegró con su muerte, como lo es que gente hubo que se llenó de tristeza. La Ciudad que ahora no está, porque no la encuentro más que en mi memoria, se había dividido. Álvaro se había dedicado a recorrer las trastiendas de los comercios, las reboticas más influyentes, las sacristías más llenas de clérigos poderosos, destilando el veneno que serviría para paralizar las obras de la conducción de agua a los domicilios de La Ciudad. La sociedad dedicada a la explotación del servicio de agua corriente, creada por el reputado financista foráneo Palavea, a quien asistía, en condición de socio, el ingeniero Zamoarzo, era una entidad que funcionaba a partir de unos presupuestos que mi tío interpretó de acuerdo con sus propios intereses. Financista e ingeniero no habían aportado dinero alguno a la constitución de la sociedad, sino que, lo que a la postre habían sumado, era el valor de las acciones de otras sociedades semejantes que con anterioridad, se habían establecido en otras ciudades que ya disfrutaban del servicio público de la traída de aguas. El dinero tenían que aportarlo, por una parte, los usuarios, que gracias a ello podrían conectar la de sus domicilios con la conducción general, y, por otra, el Ayuntamiento, que sería el que así podría construir, precisamente, esa conducción general a través de las calles y desde el embalse próximo. Palavea y Zamoarzo lo diseñaban y lo proyectaban todo, incluso hasta su participación en la sociedad y el porcentaje en los beneficios. Mi tío se encargó de explicarlo todo esto tan bien y tan a su modo que el contrato estaba sin firmar en el momento de morir mi padre.

¿Qué es la verdad, sino la interpretación de unos hechos, la valoración que de ellos se haga, la consideración que se realice de los efectos que de ellos se hayan derivado? Pongamos a un prudente y a un indiscreto, a un sabio y a un necio, a un violento y a un ser entera y eternamente sosegado; pongamos a un ser lleno de cautela y a otro invadido de un ímpetu acometedor y justiciero; a otro dueño de la mayor astucia y al más lleno de ingenuidad que nos podamos imaginar. Los unos, querrán llegar a la conclusión de que mi padre estaba de acuerdo con los Palavea y Zamoarzo para forrarse el bolsillo a cuenta de los sufridos ciudadanos; los otros, querrán hacerlo en sentido contrario, en el de que sólo pensaba en el bien común e incluso, existirán sin duda alguna los poseídos por la indiferencia, los que considerarían procedentes cualquiera de las dos posturas; o los que tendrían deseos de encarcelarlo; o los que se decidirían por elevarlo a los altares. Y habría también quienes juzgarían el accidente del caballo como obra de inducción divina para evitar el que pecase un hombre justo, o bien el justo castigo por haber pecado, precisamente. Juntemos éstas y otras muchas y sucias y limpias e interminables posibilidades más, ¿qué nos quedaría como resultante, pues cualquiera de ellas siempre es posible? Depende. Depende. No hay nada escrito.

A veces todo depende de lo insólito, de que palabras nuevas que nadie suponía, que nadie esperaba, lo invadan todo, empezando por las conciencias, de forma que la conmoción establezca unas pautas que se impongan sin que nadie sepa cómo. ¿Será lo insólito, «el espíritu de la colmena»?

Mi padre quedó, en la conciencia ciudadana, como un buen hombre y yo me vi convertido de por vida en el hijo de un hombre honesto y, por lo tanto, condenado a la honradez mientras viviese: «Ya su padre...» oiría decir en ocasiones. «Tú que heredas y eres continuador de...» oiría en muchas otras. Pudo no haber sido así, es cierto. Hubiese bastado con que yo permaneciese en La Ciudad durante más años de los que en ella consumí, pero escapé a tiempo. Me evadí y realicé lo no acostumbrado. Es la maldita necesidad de huir la que gobierna todo.

Álvaro también se hizo perdonar abriendo el comercio de materiales de construcción y saneamiento que nos habría de hacer todavía más ricos de lo que éramos; acaso porque hizo lo que nadie esperaba. Escapó hacia adelante y le salió bien; pero pudo hacer lo mismo, exactamente lo mismo que hizo y salirle mal; y así habría sucedido si no se hubiese opuesto previamente, si no hubiese sido el primero en calumniar a mi padre y si, el homenaje tributado a su hermano y lo que durante su realización sucedió, no hubiesen tenido lugar. Por eso nunca nada es igual a nada y nada es previsible. ¡Oh, si lo fuera!

Llegué al salón de plenos y vi el féretro con el cadáver de mi padre reposando en él, dispuesto de forma curiosa y bastante sorprendente. Cuatro blandones le daban una escolta escasamente luminosa y un sí lúgubre que, sin embargo, no llegó a producirme inquietud. Acaso porque estaba ocupado en averiguar dos cosas: la razón de que el ataúd estuviese inclinado de forma tan pronunciada, tanta que casi disfrutaba de la verticalidad; y el motivo por el que lo hubiesen colocado, precisamente, en el mismo lugar de la presidencia que mi padre solía

48

ocupar en vida cuando se trataba de las sesiones plenarias de la cámara municipal.

¿Qué hace un niño en una situación como ésa? No lo sé; de hecho puede ocurrírsele cualquier cosa. Llorar o huir; esconderse o darle un beso al cadáver; reír o pensar obscenidades. Cualquier cosa. Yo lo acepté impertérrito. ¿Qué hacía mi padre muerto y puesto casi en pie? Acepté la situación como se me presentaba. No tenía un recuerdo muy firme de ello, pero ¿no se había muerto mi madre? ¿No era, entonces, natural que lo hiciese mi padre? Ya lo harían la abuela, y la tía Trinidad y el tío Álvaro y todos. No. El tío Álvaro, no. El tío Álvaro no se moriría nunca. De hecho aún estaba ahí y yo, más que probablemente, me iría antes que él.

El muy cabrón no sólo no padecía de Parkinson sino que ni el más leve temblor agitaba ni siquiera uno de sus párpados, a pesar de que existiesen veinte años de diferencia de edad entre él y yo. ¿Y lo insólito? Lo insólito no tardó en producirse. Poco a poco fueron llegando gentes de toda laya y condición; representantes de los obreros municipales, de la Liga de Amigos, del Colegio de Abogados, el Círculo Mercantil, el Claustro Universitario, la Escuela Normal, la de Artes y Veterinaria; personas distinguidas, prensa local, un General de Brigada y el Coronel-Comandante Militar de la Plaza. El Deán-Presidente del Cabildo Catedralicio, el Rector del Seminario y el de la Universidad, el Juez de Instrucción, el Director de la Sociedad Económica, el Presidente de la Cámara de Comercio, el Director de la Caja de Ahorros; los Concejales, también se hicieron presentes. Todos, todos, estaban allí. Sé de memoria lo que vieron mis ojos durante la sesión mortuoria y lo que mis ojos leyeron, cientos de veces, en la copia del acta que, pasados unos años, conseguí para saber que era definitivamente cierto lo que de niño había presenciado, pues llegué a creerme que había sido yo mismo quien lo había imaginado y dotado de coherencia a fuerza, precisamente, de imaginármelo.

Con el cadáver de mi padre presidiendo el pleno convocado en su honra, el Notario dio lectura a la escritura de contrato para el abastecimiento de aguas potables a La Ciudad y al proyecto de saneamiento de la urbe ciudadana. Cuando terminó la lectura, se adelantó el Alcalde Interino y dijo algo referente a la voluntad del muerto y a su deseo de firmar, él mismo y de su propia mano, con su puño y letra, el contrato, que el Interino desplegó de forma ostentosa y un algo dotada de ampulosidad, también de inusitado histrionismo, delante de los asistentes. Con tono compungido añadió que todo se había dispuesto para que así sucediese, pero que el Señor había llamado a su seno a tan preclaro hijo de La Urbe. No obstante, dijo, y no por acto de rebeldía contra la voluntad de Dios, que juró acatar, puesto que sería quimera pensar de otro modo, se había dispuesto todo de forma que, a modo de homenaje a su memoria, fuese el difunto quien firmase el documento.

Mis ojos de niño asistieron sin parpadear a lo que sucedió acto seguido. Y Dios me perdone, pero tengo el acta que atestigua que así sucedió. El que interinamente desempeñaba las funciones que habían sido de la responsabilidad de mi padre, sacó una caja de no sé dónde y, de la caja extrajo una pluma de oro, con mango de plata, dedicada por los amigos a nombre de mi padre (Q.D.H.). Aún conservo la estilográfica, tiene una inscripción que dice: «Abastecimiento de aguas y saneamiento de La Ciudad» y la fecha del día de la firma de la escritura. Con ella en alto como si fuese un estandarte, se adelantó hacia el cadáver de mi padre, le cogió la mano derecha, sin acordarse de que mi padre había sido zurdo durante toda su vida, y, como pudo, le colocó la pluma entre los dedos pulgar, índice y corazón. Acto seguido, extendiendo el contrato sobre una carpeta, o sobre un vade que le habían facilitado previamente, le fue deslizando la mano sobre el papel de manera que su firma o algún extraño garrapateado que cumpliese las veces de tal, quedase plasmado al final del contrato.

¿Qué pensé en aquel momento? Ni lo sé. Si algo se me ocurrió fue diluido en mi memoria por la constante presencia de los sucesivos párrafos del acta que, tan repetitivamente, leí durante distintas épocas de mi vida. De tal forma lo hice que ahora no recuerdo de una manera exacta si lo que mi memoria guarda, es lo que leí o lo que personalmente viví; sé que, una vez que con tan insólito procedimiento fue obtenida la firma de mi padre, se adelantó el financista Palavea y dijo algo muy parecido a: «En el momento solemnísimo en el que el sentimiento embarga a todos los asistentes, es preciso recordar el interés que movía al fallecido y que motiva este homenaje. La Ciudad estaba distraída en lo referente a la urbanización de su suelo y esto no es un reproche; es que, como La Ciudad vive en una vida espiritual, esencialmente científica, estaba muy alto su pensar y descuidaba por eso los movimientos de progreso que las urbes modernas trazan para atender a la vida material. El fallecido fue el nexo entre esa vida espiritual y la necesidad de progreso de La Ciudad querida y, traduciendo en hechos su pensamiento, creyó, mirando al porvenir con la serenidad del hombre inteligente, que la base del engrandecimiento de La Urbe era su higienización, ya que así lograría unir, a su espiritualidad y elucubración intelectual, la perfección de los elementos de vida indispensable para la higiene». Aún insistió Palavea un poco más, antes de solicitar que el acta fuese refrendada con la firma de todos los concejales asistentes «en emotivo homenaje al fallecido» ya que así «como ya tiene la ingente Iglesia, modelo del arte religioso, donde la pátina del tiempo selló los fervores de la nación entera y ya tiene también monumentos encantadores, inspiración del genio y donosura del arte, habrá completado cuanto necesita una ciudad para ser próspera».

Es indudable que se refería a La Ciudad, aunque se pudiera sospechar que el término «prosperidad» fuese, a partir de entonces, algo que le preocupase un poco menos; el pleno municipal, al completo, había estampado su firma en un documento que sólo precisaba de una y mi padre había sido convertido en un héroe que ganaba batallas después de muerto. Y así era.

¿Y lo insólito? Lo insólito acaso sea la afirmación de la individualidad a través de todo cuanto de casual nos sucede; pues, aunque Einstein decía que Dios no juega a los dados, sí debe de hacerlo con frecuencia extrema; acaso desde el comienzo de los tiempos no haya dejado de hacerlo.

Ocupé muchas de las horas de aquel día en permanecer así, contemplando el deambular de las gentes, sentado en la terraza de la cervecería «El Choop», atiborrándome de cerveza y forrándome de patatas fritas y cacahuetes. No creo que mi inexpresiva mirada no filtrase odio por culpa de la enfermedad en lento asentamiento, sino más bien porque carecía de él. Todavía hoy me enternecen las muestras de afecto que, apasionada o desapasionadamente, se dan, unos a otras, otros a unas, los jóvenes. Y cuando lamento el no poder hacer yo lo mismo; cuando echo en falta un cuerpo joven al que poder acariciar; o el hermoso cuerpo de una joven que me acaricie el mío, dejando que su piel desnuda preste a la mía el trémulo calor que, el deslizamiento de una piel sobre otra, siempre proporciona; cuando sé que la serenidad que dos cuerpos unidos genera en las mentes poseídas por la pasión me estará ya para siempre negada; en ese momento recuerdo los otros días y aquellas sensaciones que aún en mí perduran y sonrío melancólico y también entristecido, pero nunca airado, sino feliz de haber podido vivir como lo hice.

Los otros días... una acumulación inmensa de sensaciones me invadió durante mi permanencia en «El Choop» y me invade todavía ahora si dejo que los poros de mi piel transpiren, exuden, toda la sabiduría que en ellos se halla integrada formando ya parte de mí. Pero temo que si los dejase salir serían ya irremplazables; ninguna otra posibilidad me estaría dada y hoy como ayer, como en los otros días, necesito saberme aunque sólo sea en el recuerdo. ¿Qué es lo que va quedando de mí, que apenas me reconozco en mis actos y nada más que mi mente me pertenece? Mi permanencia en la terraza de La Ciudad, ¿pertenece también a los otros días? Si es así estoy salvado, porque me trascenderé a mí mismo, ya que cada minuto que transcurra será incorporado a mi memoria y nadie ni nada podrá arrebatármelo, ni me causarán tristeza, nunca jamás, ni los abrazos ajenos, ni las sonrisas lejanas y distantes.

Permanecí sentado en la acera vecina de la Praza Roxa más tiempo del debido; tanto que empezó a resultar improcedente la visita a casa de mi tío. En realidad empezó a dejar de apetecerme la posibilidad de encontrarme con alguien todavía más decrépito que yo, todavía más senil e iluminado, y la fui posponiendo de diez en diez minutos hasta llegar un momento, no sé en cuál, en el que decidí levantarme y, con paso no tan vacilante por culpa del baile de San Vito, como de la mucha cerveza ingerida, dirigirme a solicitar el teléfono en la barra interior de la cervecería.

No sé si fue que me reconocieron unas chicas o que les reclamó su atención mis torpes pasos de bo-

rracho, pero lo evidente es que hablaron de mí, sin
dejar de mirarme, sin apear unas sonrisas que no
supe entender malévolas, hasta conseguir azararme
en el corto lapso de tiempo que lleva el recorrer la
barra de una cafetería. Lo hicieron de tal manera
que abandoné la idea de llamar a mi tío y me dirigí
directamente al servicio de caballeros en el que
trasvasé mucho del líquido hasta entonces ingerido.
Oriné con lentitud y sin apremios, procurando no
salpicarme el pantalón, para así evitar cualquier
posible atisbo de lo que estaba haciendo, y pensando en las sonrisas de las muchachas que, lo más seguro, permanecerían expectantes. Subí la cremallera sin prisas, después de habérmela sacudido con
energía, y volví a ocupar mi sitio en la terraza. Pedí
una nueva cerveza y el camarero me miró conmise-
rativo, pero silencioso, al tiempo que asentía.

De allí a poco se acercaron las muchachas. Las vi
venir y aproveché para recorrerlas, de arriba abajo,
con mirada que es de suponer estuviese cargada de
ensueños por culpa de la cerveza y a causa de mi
lascivia de viejo, pero que tendría apagado, según
yo intuía, su brillo lujurioso a causa de la enfermedad para poder quedar así reducida a una inteligente y comprensiva mirada de ancianito, mucho más
inofensiva y menos pretenciosa y que podría resultar, incluso, amable.

—¿Usted no es...?
—¡No! Hoy ya es la segunda vez que me confun-
den.
—Pero...
—¡Pues no!
—¡Que sí, que usted es...!
La debí de mirar con tal cara de tristeza que prefi-
rió no insistir más; si lo hubiera hecho, si hubiese
porfiado, no sabría yo negarme a la evidencia y hubiese aceptado su reconocimiento e incluso, es posible que ellas y yo hubiésemos quedado convertidos

54

en amigos aquella tarde. Pero no fue así. Temí dejar constancia de mi estado, temí confiarme a alguien y resolví levantarme e irme. Pagué lo que debía y marché.

Durante un rato deambulé por las calles que no eran las propias de La Ciudad, sino un extraño conjunto de muros habitados, de rampas pronunciadas que vertían su empuje en aquella Praza Roxa que antes había ocupado la laguna de mi infancia. También durante algún tiempo sentí las miradas del grupo de muchachas clavadas en mi espalda y pude oír sus bisbiseos nerviosos, sus risas ostentosas y llamativas, gorjeando detrás de mí, acosándome. O al menos así consiguieron que me sintiese. Tanto y tan acosado me sentí que me encaminé al aparcamiento y, dominado aún por la modorra producida por la cerveza, desestacioné el coche, accedí a la superficie y cuando era media tarde regresé a la Casa de la Santa.

Abandoné La Ciudad por el mismo lugar por el que había accedido a ella y sin haberla visitado. Ni a ella, ni a mi tío. Los escasos lugares por los que había transitado nada tenían que ver con los que tenían un espacio en mi memoria, nada de relación con el objeto de mis recuerdos y de mis sensaciones y un nuevo vacío se había introducido en el lugar que, inconscientemente, había reservado durante años para el emotivo momento del reencuentro. Nada se había producido. Nada había. Tan sólo la sonrisa de la muchacha rubia y de pelo lacio, que se destacaba en el grupo me había llevado de La Ciudad cuando, carretera de Noia adelante, regresé a mi recién estrenado hogar.

Al sentir el coche salieron a abrirme el portalón y pude ver a Yakin y a Boaz nerviosos ante el ruido del motor, agitando incrédulos sus rabos como temerosos o indecisos de si era aquélla o no la ocasión indicada para hacerlo. Cuando me vieron descender del automóvil, decidieron que sí lo era y brincaron a mi alrededor, buscando mis manos para lamerlas o me mordieron los bajos de los pantalones para reclamar mi atención. Supe así de lo indicadas que habían estado mis caricias del día anterior y de aquella misma mañana, y me agaché entonces a jugar con ellos, dejando que lamiesen mi cara, consintiendo en que me empujasen con sus cabezas enormes hasta dar conmigo sobre la hierba.

Fue una sensación agradable. La hierba olía. El sol, aunque mortecino, era suficiente como para que yo aún sintiese su fuerza tibia sobre mí; acaso porque estuviese retenida en el calor acumulado por las paredes del edificio, todas de piedra. Me revolqué con ellos y, con ellos, jugué a esas peleas inocentes que, en tantas y tantas ocasiones, se establecen entre cachorros de una misma camada. Y su vigor era el mío.

En medio de los revolcones vi cómo sonreían los dos tórtolos que me habían caído en gracia en calidad de sirvientes y, desde el suelo, agradecí su alegría. Fue un bello momento. En seguida recordé que estaba enfermo y que debía sentirme fatigado, bien por la enfermedad, bien por causa de la edad provecta de la que, al parecer, disfrutaba y resolví que, aunque la verdad fuese que no estaba cansado en absoluto, sino feliz y ágil, lo mejor era incorporarse no fuese a suceder que me rompiese la cadera o cualquier parte de mi cuerpo frágil a causa de la edad y otras entelequias.

Me incorporé ya que no ágilmente sí, al menos, con una cierta presteza que me dejó satisfecho de mí mismo. Los perros aún porfiaban por seguir jugando y, Paco y Elisa, los criados, procuraban apartarlos de mí que, maldades de viejo, los reclamaba con señas apenas perceptibles, batiendo la mano sobre el muslo, triscando los dedos con suavidad, enarcando las cejas mientras los citaba con la mirada.

Jadeando indolentemente, me senté en el banco que hay al lado del pozo, apoyando la espalda en la camelia sobre la que suele brincar el mirlo, mientras Elisa y Paco permanecían de pie, observándome sonrientes.

—¿Qué tal el día?

—Bien, bien. Francamente bien.

—¿Y don Álvaro?

—¿Don Álvaro?

—Sí. ¿Qué tal?

—Pues no lo vi.

—¿No lo vio?

—No.

—¿Y eso?

Levanté las manos para abrirlas a la altura de los hombros y debí de poner cara de niño cogido en falta porque no noté que se les endureciese el gesto. Quizá por eso me vi en la obligación de explicarme.

—Llegué a una ciudad distinta, me puse a dar vueltas, incluso me perdí. Aquello está desconocido.

Me acordé de la cerveza y me di cuenta de que se me había disipado completamente todo vestigio de ella.

—Voy a mear, ahora vuelvo.

Los abandoné con la palabra en la boca y me fui al cuarto de baño para regresar al poco tiempo.

—Iba a llamarlo por teléfono, pero no lo hice. No me acordaba del número.

Mentí al tiempo que caía en la cuenta de que no había podido olvidar ni el nombre ni los apellidos de mi tío Álvaro, ni siquiera la existencia de la guía de teléfonos o el número del servicio de información.

—Ahora mismo llamo.

¿Quiénes eran aquellas dos personas ante las que, a las pocas horas de conocerlas, ya me sentía en la necesidad de andar buscando disculpas y justificaciones de mis actos para agradarlas, para no decepcionarlas? Levemente irritado por la pregunta que me estaba haciendo me introduje en el interior de la casa y, en el salón de la lareira, descolgué el teléfono para marcar.

—¿Qué maldito número tiene el viejo?

Grité agriamente y me respondió la voz de ella, entrando desde el jardín.

—Cincuenta y tres, dieciséis, cincuenta y uno.

Marqué y esperé un momento.

—¿Don Álvaro?

—No está.

—¿No está?

—No.

—¡Vaya!

—¿Quién es?

—Su sobrino.

—¿Su sobrino?

—¡Uy, qué coño, sí, su sobrino!

—Bueno. ¿Quiere que le dé algún recado?

—Sí. Dígale que lo llamé.

—Bien. Se lo diré de su parte.

—Dígale que ya estoy aquí, que ya llegué.

—De acuerdo, se lo diré.

—Dígale que ya lo llamaré o que ya iré a verlo.

—Vale, adiós.

Iba a preguntarle «¡¿Y dónde coño está mi tío?!», pero colgó antes de que lo hiciese. Me sentí ridículo. Elisa entró con cierta expresión indescifrable en su rostro e insinuó una sonrisa leve y cómplice. Era indudable que había estado escuchando la estúpida conversación de un momento antes. Me había sentido algo irritado afirmándole, a una voz desconocida, que era el sobrino de mi tío; era como retrotraerme a una edad y a una condición que ya no me correspondían. Pude haberle dicho que era Don Joaquín, por ejemplo, o el señor Paraiva, o simplemente haberle proporcionado el número de mi teléfono y solicitado que me llamase Don Álvaro tan pronto como pudiese hacerlo. Pero no. Había infantilizado todo. Las preguntas y las respuestas. Sólo me había faltado haber preguntado por mi tío, en vez de hacerlo por Don Álvaro.

—No estaba.

—¿No estaba?

—No.

Elisa puso cara de extrañeza y se acercó al televisor.

—¿Quiere que lo encienda?

—Bueno.

De la pantalla del televisor surgió la cara hermosa, aunque no tan joven como me había parecido, de la muchacha rubia que me había abordado en la cervecería y, a continuación la de un vejete, todavía campechano y pulcro, atildado sin afectación y de voz firme. Era mi tío. Se le notaba satisfecho de su notoriedad, feliz de ser llamado a televisión, contento de estar allí en tan grata compañía.

—¡Me cago en su santa madre!

Murmuré. Y me dispuse a contemplar el resto de la entrevista.

Capítulo cuarto

> *Y de esto, como de todas las cuestiones de*
> *la vida, no hay más que una conclusión que*
> *sacar, y es que, en espera de otra cosa mejor,*
> *es preciso que en nuestro corazón reine la*
> *curiosidad.*
>
> MAURICE MAETERLINCK, *La vida de las*
> *abejas,* Libro Segundo, Cap. XXVI.

El enfado me habría de durar mucho, mucho
tiempo, quizá en exceso; a pesar de que mi tío fue
cauto, incluso prudente. Pero también taimado; de
forma que afirmaba sin dejar de negar a la vez; con-
tradecía, evidenciando el asentimiento; sonreía,
mientras los ojos dejaban asomar una insólita dureza, o abandonaba éstos a la pícara dulzura, mientras consentía en que el resto de su rostro, permaneciese impertérrito, reducido a la más dura expresión
que él, el muy caradura, había aprendido a adquirir
en el transcurso de los más largos y mejor llevados
noventa y tantos años que conozco. A pesar de todo,
decía, quedó evidenciado que era posible que yo an-
duviese por La Ciudad, o por sus alrededores; pero

61

también que era posible que sólo se tratase de un malentendido o de una confusión inocente.

Álvaro y la muchacha rubia se trajeron un extraño coqueteo durante toda su permanencia en pantalla y eso me encolerizó aún más. Si el viejo no lo era tanto como para no poder salir de casa, si estaba en condiciones de desplazarse hasta los estudios de televisión, y dado que el enfermo era yo, ya podía venir él a visitarme a mí si quería. Yo no pensaba llamarlo en ningún caso.

A la vez que me decidía a actuar de forma tan impulsiva, me daba cuenta de lo desmesurado de mi intención y sufría por no ser capaz de controlar mis emociones; pero algo en mi interior me sugería que debía de afirmarme en ellas, por muy infantiles que pudieran parecer a simple vista. Mi mal produce apatía, desgana y un absoluto desinterés por lo que te rodea; o al menos eso dicen los libros que leí y los médicos a los que consulté; y latiendo debajo de mi puerilidad, estaba un afán tremendo de seguir vivo, de retozar en las emociones con el mismo vigor que me había invadido el cuerpo en el momento de rodar por la hierba, revolcándome con Yakin y Boaz, abandonado al calor ameno de la tarde y a los olores puros, elementales, que, de todos lados, surgían y lo llenaban todo.

Debajo de mi enfado latía un sentimiento, que ahora veo y del que soy consciente, de envidia o frustración, de posesividad o dominio, que giraba en torno a la muchacha rubia a la que, sin saberlo, deseaba. ¡Estaba vivo! Estaba tan vivo como siempre lo había estado y como lo estoy ahora y oscilaba, como también siempre lo hice, entre la tensión y la laxitud, entre la relajación y el enérgico ataque que todo lo conmueve. Todo lo que hacía no era sino otra cosa que el materializado deseo de dominar el mal que me invadía. Constantemente estaba probándome a mí mismo y connotando los avances que reali-

curvado y dueño de la angulosidad idónea para cumplir su cometido; más tarde los cuchillos con las formas de sus hojas adaptadas a mis necesidades y a mis propias preferencias.

Fue un placer dominar mis manos, verlas firmes mientras apoyaban las gubias en el torno eléctrico y dibujaban, sobre la madera de boj, los adornos que se me iban ocurriendo con una prontitud que me dejó asombrado. Fabriqué mangos para todas las gubias. Fue un ejercicio grato. Yakin y Boaz se sentaban a la puerta del taller, en el jardín y esperaban allí, durante tiempo y tiempo, a que yo me acercase a ellos para acariciarlos. De vez en cuando, al sentir cómo me quemaba los dedos el papel de lija con el que pulía el boj, o con el que, utilizando su lado liso, le daba brillo a los mangos o insistía hasta que los quemaba en sus bordes, miraba a los perros y su quietud, impropia de cachorros, me enternecía si conseguía interpretarla como fidelidad, cuando no como cariño.

Mientras el Parkinson restaba sensaciones, por una parte, yo las recuperaba, por otras. Olía la madera de abeto y de arce, de pseudo platanus, con una delectación que creería imposible tan sólo unas semanas antes y a pesar de que ambas carezcan de olor alguno; seguro que lo que en realidad olía era la felicidad que me embargaba. Cuando le pregunté a Paco cómo las había conseguido, enarcó las cejas y extendió las manos hacia arriba. «Las conseguí», dijo, «tan pronto Álvaro me advirtió de sus deseos.» Me molestó, o al menos me sorprendió, la familiaridad utilizada para referirse a mi tío, pero no dejé que tal molestia trasluciese y, ni en mi voz, ni en mi expresión, hubo la más mínima inflexión que pudiese poner en evidencia mi asombro. Proseguí como si nada.

Las maderas para construir instrumentos musicales tienen que proceder de árboles plantados, única y exclusivamente para ese fin y deben ser objeto de podas y cuidados especiales en las regiones, frías y montañosas, en las que se cultivan. No deben tener nudos; precisan estar debidamente orientados y hay que cortarlos de noche, cuando no haya luna; cuando toda la savia permanece en las raíces, pues no hay luz que la llame, y así el secado será el preciso.

Un instrumento no es un mueble. Stradivarius, Guarnerius, Amati, lo sabían muy bien. Una viola de gamba, por ejemplo la que yo fabricaba febrilmente durante los primeros días de mi reclusión, tiene comportamiento. Los muebles pueden crepitar por las noches, pero las violas se resfrían, o se sienten afectadas por los cambios atmosféricos, o por la temperatura del cuerpo humano y, en multitud de ocasiones, hay que arroparlas porque sus voces son otras y apagadas. ¡Cómo las abrazan sus dueños muchas veces, para darles calor con sus cuerpos y mantenerlas en la tensión que el concierto exige de ellas! Pues la misma tensión amorosa era con la que, mi mirada, recorría la que yo estaba construyendo y le daba así el calor que precisaba, la amorosa tensión que, de su creador, todas las cosas reclaman.

Ni se me ocurrió salir de la casa, durante todas esas semanas. No lo necesitaba. Cuando estaba harto, o cuando simplemente me sentía cansado, me entretenía en jugar con los perros o en recorrer andando la finca de la casa, caminando por un prado de hierba en el que suelen pacer unas ovejas, propiedad de unos vecinos que así lo tienen solicitado y que ayudaban, y ayudan, a mantener el césped a su debida altura. En ocasiones, cuando los perros no me seguían, el carnero mostraba su inquietud y preocupación por el desconocido recién llegado, que invadía su territorio sin encomendarse ni a rey ni a roque. En esas ocasiones yo me divertía, citándolo desde una distancia prudente, mientras pensaba en la nada improbable situación que se produciría en el caso de que consiguiese desenterrar del suelo el palo, al que el carnero permanecía unido por una larga cuerda, que allí había sido sabía y prudentemente hincado. Así lo hice varias veces, sin atender a las advertencias que, desde el pie de un árbol al que permanecía atada su madre, me hacía un cordero, imitando acaso la actitud paterna, sin que yo le prestase la consideración debida; ya que la corta edad del lechal no me permitía valorar en su medida justa el peligro con el que me amenazaba. Hasta que de forma totalmente inesperada se arrancó y me proporcionó un testarazo que me dejó en el suelo. Desde entonces siempre que salí a pasear por el prado lo hice acompañado de Yakin y Boaz. Pura medida preventiva.

Ignoro si me sentó bien la reclusión o si, quien lo hizo, fue la suma de aire puro, paisaje sereno, ejercicio, tranquilidad y buenos alimentos que durante ella, recibió mi cuerpo; que lo hizo con una ansiedad y avidez tales, como hacía años que no había sentido hacia nada que no fuese la música y todo lo que a ella le rodea. Caminar bajo la lluvia, dejándome empapar por ella o tomar el sol, durante las escasas ocasiones en que éste conseguía abrirse paso entre las nubes, llegaron a constituir placeres tan exquisitos como ignorados por mí durante años y años en los que me dejé llevar por una forma de vida que, ni es deplorable, ni la deploro, pero que ahora me parece insuficiente. ¡Ah, la maldita manía de obrar por exclusiones!

Durante esos años en los que me privé del olor de la tierra mojada, de la fragancia que trae el aire después de las tormentas, de los cambios de luz que, de forma tan continuada como intensa, se pueden disfrutar a lo largo de los días nubosos o de los enseñoreados por la niebla; durante esos años, cada vez que tenía unos días, me escapaba al mar y me internaba en él, en su soledad, también en su silencio. No es que lamente haber navegado, lamento el haber permanecido ignorante de aquellas otras sensaciones que también me pertenecen y a las que, acaso, pertenezca yo en mayor medida.

El mar es la ausencia, la otra entidad. En él no estás, ni a bordo de la vida, ni sobre la muerte, simplemente navegas y no te perteneces. ¡Oh, esa inmensa soledad donde la ausencia nace, estela de los días extraños, apagada luz que todo lo envuelve y cubre, donde los días son otros y nada es!

El mar no huele, ya que todo lo desposita en tierra y así, los barcos que le estorban, las algas más verdes, los peces muertos, las botellas de los últimos navegantes solitarios y los cantos de las sirenas, sus definitivas fragancias, son posibles tan sólo en sus orillas y gracias a la entidad que les confiere el ser reconocidos por los paseantes; por aquellos dotados de la circunspección precisa, que sólo puede ser proporcionada por la edad provecta o inducida por la tierna edad de las primeras aventuras que se sueñan. Por eso el hombre libre siempre amará el mar, porque la última libertad, la del no ser, sólo sobre él es posible, y eso porque sólo sobre él no se es, siéndolo; y ahí queda eso.

Escapé, huí al mar siempre que pude y contemplé desde él, extasiado, la bóveda celeste; tumbado boca arriba sobre cubierta, me abandoné a su contemplación hasta sentir, ocupada mi mente por el vértigo, que mi cuerpo se proyectaba de arriba abajo, para descender sobre el cielo lleno de estrellas, de una forma tan vecina al vacío infinito y sometido a una sensación tan intensa, que, de dejarme dominar por ella, hubiese concluido por bordear la locura y por perecer inmerso en ella, en el vacío sideral que, en la enajenación, se conformaba dentro de mí.

Cada vez que eso sucedía, era el nirvana. El no ser. Y volvía a necesitar la música y, entonces, regresaba. Podían pasar días, transcurrir noches enteras aguardando, al acecho, a que la sensación me invadiese, poseyéndome, sin que nada ocurriera; sin que ese viaje de descenso, de caída libre desde la cubierta, sobre el ojo negro de la noche tuviese lugar en mi mente y sin que la locura estuviese tan al alcance de mi mano como las estrellas que delimitan y conforman el universo-mundo que habitamos.

Cuando eso era así, mi derrota era establecida por círculo máximo buscando llegar, cuanto antes y cuanto más lejos mejor, a ningún sitio preestablecido; por ver si allí, o en algún lugar de la cuerda floja del horizonte, y en extraño equilibrio, se encontraba la angustia flotando sobre una nube blanca para poder morderla con los dientes y con idéntica fiereza a como, un perro de presa, pueda morder a su más conspicua frustración. Y a veces lo conseguía y podía regresar a la orilla, convertido ya en el resto de un naufragio interior que el mar desprecia, poseído por la necesidad de olerme, de saberme a mí mismo y de poder hallar el reconocimiento preciso en las miradas de los paseantes de la vida; y en la de aquellos otros, los más provectos, o en la de éstos, los de la tierna intención aventurera, creía verme y conseguía, entonces, interpretar de nuevo el mundo y sus misterios y enfrentarme otra vez con la música y construirla; conseguía organizar el universo armónico de una sinfonía dentro de mí mismo y lograba, a la postre, la capacidad de transmitir, desde mi mente a la de los demás, la desaparición del caos original que toda estructura musicalmente perfecta supone. Porque eso es la música. Y no otra cosa.

En la Casa de la Santa no procedía por expansión. Lo hacía por reducción y toda la tristeza, la alegría, la felicidad o la angustia que la música trae o se lleva consigo, intentaba resumirla en el alma de la viola; colocándosela, en el lugar preciso y milimétricamente buscado, a partir de la barra armónica y luego de saber del olor de la lluvia, del color de la tarde y de todo aquello que sólo se sabe desde la orilla del mar y tierra adentro. Una vez que arribas después de transcurridos todos los naufragios.

Quizá por eso adquirí tanta afición a pasear y gracias a ello fui, de forma paulatina, ampliando la duración de mis paseos y la longitud de mis recorridos; hasta llegar a realizarlos por los montes vecinos, a los que me desplazaba por estrechas pistas rurales recién asfaltadas y recorridas, tan sólo, por tractores o por escasos y lentos y esporádicos automóviles de campesinos.

Durante uno de esos paseos vespertinos me pareció ver a la chica rubia pasando velozmente a mi lado en el interior de un coche. Pero no me dio la impresión de que ella me hubiese visto a mí o de que simplemente me hubiese reconocido; acaso ni siquiera fuese ella. Lo importante es que a mí me lo pareció, que su recuerdo afloró con fuerza en mi mente y que, la sensación de su imagen, permaneció en mí a partir de entonces.

¿Qué es lo que conduce a que, una imagen, cambie el curso de nuestras sensaciones? ¿Por qué, a partir de ella, de su contemplación, nuestra vida queda condicionada por ese aura que perdura, indescifrablemente envolvente, a nuestro alrededor rigiéndolo todo; aun contra nuestra voluntad e incluso contra nuestros deseos? Ni se sabe. Lo cierto es que así sucede y que, a partir del momento en el que la imagen es asumida, el deseo nace y nos determina.

¿Cuántas veces yendo, a doscientos por hora, por una autopista y de forma instantáneamente breve, nuestros ojos, en apenas décimas de segundo, retuvieron la imagen que, desde la valla publicitaria nos ofrecía un zumo de naranja? Nuestra mente consciente ni reparó en la valla, ni en la oferta, ni siquiera en los colores que nuestras retinas consiguieron hacer llegar, transmitiéndolos, hasta nuestra mente inconsciente para, desde allí, provocarnos la sed y obligarnos a parar en la próxima área de servicio. Pues así la melena rubia. Así el deseo. Así la variación de todas las cosas, incluso de los colores o del espacio que, a partir de entonces, necesitó mi mente para abarcar el tiempo o las distancias que, a impulsos del deseo, ya no fueron nunca jamás los mismos.

El polvo, el humo o incluso la luz, todo aquello que se posa, incluso la música, adquirieron para mí unas dimensiones que nunca habían tenido. Volví a contemplar el rayo lumínico que penetra, por la ventana entreabierta, en la estancia que está en penumbra; recobré el peso del aire más madrugador, aquel que viene con la primera brisa e invade, unos detrás de otros, todos los ámbitos del jardín para posarse sobre todo aquello que merece la pena ser contemplado; supe de los colores y de los brillos que la luz modela sobre las superficies que ellos cubren y el mundo fue, a partir de entonces, otro. Los días fueron otros.

Nunca había reparado, al menos de una forma consciente, en el color verde de la lechuga, o en el rojo de la carne, el azul o el gris de los pescados, el blanco de la leche...; pero a partir de aquellos días, esos colores, los de los alimentos, comenzaron a atraerme de una forma que se me antoja indescriptible. Empecé a seleccionar las comidas por gradaciones cromáticas e insistí, preferentemente, en la composición de las ensaladas.

Paco y Elisa observaban, creo que incluso divertidos, mis continuos cambios de humor, mis insistencias y manías culinarias, mi dedicación a las ensaladas, que creían consecuencia de la necesidad de un régimen que ayudase a mantenerme sano y delgado, pero que no dejaba de sorprenderles. Me volví caprichoso o al menos eso creyeron ellos: «A esta ensalada le falta un poco de color rojo», les decía cuando ya estaba servida a la mesa, y, no se sabe de dónde, ellos sacaban unos granos de granada, unas lonchas de remolacha, unos rabanitos que satisficieran mis deseos. «Algo de oro no le sobraría a este paisaje», les comentaba, y unos granos de maíz caían en cascada sobre la lechuga con tomate y rodajas de pimientos y albas cebollas de la tierra. ¡Dios, qué días!

Empecé, también por aquel entonces, a intimar con mi pareja de cuidadores. No sabía nada de ellos. En ocasiones, mientras yo raspillaba la madera de abeto de la que había de surgir la tabla armónica, Paco se entretenía en observar los veteados de la madera de arce que, si es de la calidad precisa, debe ser de tonalidad cambiante según la luz incida sobre ella; o bien limaba, con cuidado sumo, las seis piezas —las esquinas, la base del mástil y el taco del fondo— que, adheridas de momento al molde, han de quedar en el interior del instrumento dándole la consistencia que reclame en cada ocasión. Mientras observaba la madera o preguntaba por los nombres de las piezas o de las herramientas, insistía en otros aspectos más inherentes a mi persona, o a mi abandonada actividad.

Al principio rehuí dar explicaciones acerca de lo que se puede sentir en el momento de llenar el espacio total de un auditorio con la música por tu sabia mano gobernada, como le decía el fraile a Salinas, pero de forma paulatina fui reflexionando, en voz alta, de una manera como nunca antes me había sido consentida y, el fenómeno de la música, el de su dirección orquestal, se me ofreció distinto y, aunque ya inasible, digno de haberlo podido vivir en su total integridad. Mal sabía yo los designios del futuro.

Elisa atendía en silencio mientras restauraba, con mejor intención que resultados, las patas de una vieja mesa de castaño que había bajado del desván de la propiamente llamada la Casa de la Santa. En algún momento de aquellos días se me ocurrió pensar que podría Elisa estar esperando un niño y me pregunté qué sería de aquella paz interrumpida por los lloros de una criatura, de aquella dedicación obtenida por mí en exclusiva, en caso de tener que compartirla con un bebé; y decidí que, el responsable de la inarmonía que se derivase de la verificación de aquella sospecha, de aquella intuición, sería, a no dudarlo mi tío Álvaro, quién si no había tomado la decisión de contratar en mi nombre a una joven pareja en edad de hacer hijos como parece ser que está mandado.

Ni me había vuelto a llamar mi tío, ni él había recibido mi llamada. Vivíamos en dos mundos distintos y lejanos. Lo hacía él al pie casi de la tumba del Apóstol, al pie del Cuerpo Santo; lo hacía yo al pie del lugar que había ocupado el Cuerpo de la Santa, trasladado ahora a muy escasos metros de mi casa, a una iglesia que no me atrevía o no me decidía, no sé por qué, a visitar. Pero mientras tanto no nos veíamos y ésa era toda la relación establecida entre nosotros. La que había, hay, entre Minia y Santiago, es decir, ninguna.

Tampoco me atrajo visitar La Ciudad durante todas esas semanas. Incluso la vez que creí ver a la chica rubia y empecé a vivir partiendo de la sensación que, en mí, imprimió su recuerdo, lo que hice fue recorrer las pistas asfaltadas próximas a mi casa con mayor frecuencia que antes, justificándome, delante de Paco y Elisa, con no hacerlo por el prado en razón de la acometividad de los carneros; como si fuese preceptivo hacerlo, preceptivo disculparse o improcedente el pensar en el veloz y fugaz paso de una melena al viento por mi lado. Pero no se me ocurrió buscarla recorriendo La Ciudad.

¿De qué huía? ¿Qué era aquello con lo que no quería encontrarme? Por no atreverme, ni me decidía a preguntarles, de una forma directa, a mis dos cuidadores, acerca de quiénes eran o de cómo era que se ocupaban en las labores en las que lo hacían, en las de mi cuidado y en el de mi casa, siendo como eran personas cultivadas, personas incluso cultas o yo diría que muy cultas. Llegué a sospechar que perteneciesen a alguna asociación religiosa de las muchas en las que Álvaro había ocupado su tiempo e, incluso, su y mi dinero; pero nunca supe plantear pregunta ninguna a aquellos dos seres a los que estaba cogiendo cariño y de los que empezaba a depender para más cosas de las que sospechaba e, incluso, para más y más cosas de las que hubiese deseado. Pero así es la vida y así somos los humanos. ¿No dependía también de Yakin y Boaz?

Me gustaba verlos echados a mis pies, mientras oía música o mientras construía la viola, y tenían la ventaja sobre Elisa, a quien también me gustaba ver entretenida en la restauración de su mesa de castaño, o en el cuidado de las plantas del jardín, de que a ellos podía acariciarlos y a ella no.

Los sentimientos se expresan más que a base de palabras a través del tacto. Lo sé muy bien desde hace tiempo y lo sé ahora aún más que antes, porque mi enfermedad me reprime de expresar lo que siento y hacerlo acariciando un cuerpo, recorriéndolo con mano que sé temblorosa y torpe, palpando con agitación lo que antes sería objeto de la lenta dulzura de unos dedos que se posan. Acaso por eso todas las cosas que lo hacen levemente, el polvo, la luz, el dulce descenso de las aves, la niebla, también la música, hayan adquirido esa nueva dimensión que proporciona el sueño que sabes imposible. Acaso por eso acaricie, refugiándome en ellos, los cuerpos de Yakin y de Boaz. ¿No se acarician los animales, no se pasan horas y horas lamiéndose, entrechocándose las cabezas o apoyándose mutuamente en los cuerpos poderosos y flexibles? ¿Podrían expresar mejor sus sentimientos de tener un lenguaje que no fuese el del ronroneo tenue que precede y continúa a las caricias? Probablemente no. E incluso el ronroneo dice menos, es menos cálido, comunica menos afecto que el calor corporal que las extremidades transmiten.

Pasamos más tiempo hablando de amor y ponemos en ello mucho mayor énfasis, incluso, que el que ponemos y dedicamos a hacerlo. Pasamos más tiempo acariciándonos, recorriéndonos mutuamente, que el que pemanecemos hablándonos de lo mucho, o poco, que nos amamos o de lo intenso que es el deseo que nos invade. ¿Y dónde los sentimientos? Pues en las caricias posándose sobre la piel que delimita y contiene todo cuanto somos. En las miradas que se posan igualmente sobre las superficies amadas, también sobre o en los otros ojos que permanecen abiertos a toda cuanta interrogante pueda traspasarlos.

Al cabo de semanas de lutería y de paseos, movido quizá por la fugaz visión de la carretera, resolví encerrarme en casa y salir lo menos posible. Empecé a tener cambios bruscos de carácter e incluso una decisión sustituía a otra con una facilidad tal que hacía increíble el carácter opuesto que la significaba. La visión de la chica rubia me había llevado al deseo de regresar a La Ciudad y, luego su recuerdo a permanecer encerrado; en una primera oportunidad me había vuelto eufórico; en otra segunda, deprimido y triste.

Había leído que mi enfermedad habría de sumirme en períodos de inexplicable tristeza, de irreprimible apatía. Acaso por eso la decisión de recluirme la tomé de forma inmediata a la del conocimiento de mi mal y, en razón de ello y del poco tiempo que todavía llevaba en la Casa de la Santa, me negaba a que la dolencia hubiese realizado, ya, progresos de esa índole. Me inundaba una gran ansia de vivir; la sentía en mis músculos entumecidos, en mi omóplato dolorido o en mi codo sometido al dolor como si una tenaza o unos alicates, también un perro de reducido hocico, hubiesen hecho presa en él y lo estuviesen mordiendo con una intensidad tan milimétricamente estudiada, de forma tan sádica dispuesta, que no consintiese que la carne llegase a ser desgarrada, pero que dejase que esa sensación que la antecede permaneciese despierta una eternidad, innoblemente asentada en los nervios todos de mi brazo.

Sospechaba que esa enorme ansia de vivir habría de ayudarme a mantener el asedio al maldito baile de San Vito, a pesar de saber que Vito y Parkinson tienen algo, pero no mucho que ver. A conseguir, decía, tenerlo distante y vencido por la fuerza de mi mente. En mi juventud apasionada de lector impenitente, había sostenido, pues tal teoría era consecuencia de mis lecturas, que el cáncer sobreviene, en la mayor parte de las ocasiones, cuando se pierde el acceso a la esperanza. Yo tenía esperanza y quería creer que W. Reich tenía razón. La voluntad humana es poderosa y, las fuerzas que la mueven, de un alcance insospechado. Me agarraba a mis ansias de vivir como un náufrago a su única posibilidad de supervivencia. Basaba todo en ellas y solía hacerlo en los momentos de euforia, aquellos en los que trabajaba en el taller y salía a pasear incluso junto a los carneros más amigos de embestir, o detrás de las vacas más amigas de soltar coces.

Por el contrario, cuando sobrevenían los períodos de abatimiento, aquellos en los que me recluía en el interior de la casa y me abandonaba a la contemplación del televisor encendido, pero con el volumen de voz suave, lo que sentía era un gran temor a la muerte y temía que, precisamente, ese temor fuese, o acabase por ser, superior al de mis ansias de vivir. Me debatía entre las dos intensidades, analizaba la

samente por eso. Aquello no era organizar la armonía, sino el caos y tenía también su mérito. Pero el poder verme dotado de la antigua energía, con un desacostumbrado aspecto juvenil, próximo al que me podía reconocer en el espejo si conseguía hacer abstracción de la impasibilidad facial, propia del caso, era algo que me resultaba exultante y divertido, agradable y energético y supe que podía bajar, por fin, a La Ciudad y hacerlo sin la compañía de nadie.

A los pocos minutos saqué el coche del garaje y agradecí el cambio automático. Paco y Elisa me despidieron sonrientes y busqué el camino que me condujese a la carretera general pasando previamente por el centro del pueblo, bordeando la robleda de árboles hermosos que hay entre la casa consistorial y la iglesia de la santa. Lo hice no sé con qué objeto, quizá con el de ver y ser visto; con el de comprobar cómo iban las cosas en mi ausencia última de cuatro días. Me prometí caminar hasta allí en más de una ocasión y entretenerme en jugar con la máquina tragaperras del bar «El Paraíso» o hacerlo a la brisca con los vecinos más amantes de la baraja, bajo la mirada atenta de Ramiro; aunque esto último lo pensaba llevado más de mi buen humor del momento que de un deseo ferviente de hacerlo. En el fondo de mí mismo sabía que era bastante improbable que lo hiciese, máxime si pensaba en el casi insalvable temblor de manos que habría de acometerme en ocasión de jugar a las cartas y en el de contar monedas o de distribuir juego. Seguro que eso iba a molestarme en grado sumo. Y no precisamente por la mirada atenta de Ramiro.

¿Qué haría si me detenía la Guardia Civil de Tráfico y me recriminaba por conducir con temblor de manos? Posiblemente decirle quién era yo, advertirle educada, sibilina y sutilmente de con quién estaba hablando. ¿No habían tenido consideración suma en Francia con el filósofo que había estrangulado a su santa esposa? Pues que la tuviesen aquí con quien en vez de romperle la cabeza a la gente con teorías que, seguro, habían de periclitar, había construido mundos llenos de armonía para que la gente los habitase aun después de haber sido concluidos; con quien profesaba lo que siempre existirá mientras el mundo sea mundo.

Podrán faltar la novela y el teatro, incluso la poesía; largos períodos de la historia han conducido a través del tiempo a pueblos que no tuvieron ni siquiera escritura y que dejaron testimonio de su paso en los troncos de los árboles, en las piedras, también en el aire en el que la música de sus cantos o de sus más sencillos instrumentos dejaron constancia de todo aquello que les conturbaba. Porque nunca faltó la música. Nunca podrá faltar. Así que la Guardia Civil de tráfico ya lo sabe. Y si no que no pongan las sirenas. Amén.

La carretera estaba totalmente expedita; apenas había tráfico y conducir se convertía, gracias a ello, en un placer intenso del que podías disfrutar enteramente. Sentías brincar el coche hacia adelante cuando pisabas el acelerador de forma brusca e intensa y gozabas con el rápido deslizarse de la máquina sobre un pavimento liso y bien construido. Llovía de forma suave y, después de aquel último y reciente encierro en la Casa de la Santa, la conducción rápida que yo estaba llevando consistía en una real forma de liberarse. Aunque no supiese muy bien de qué.

Disfrutaba tanto que, a pesar de que observaba en el panel de instrumentos y datos la escasez de combustible, no hacía caso de ello y seguía hacia adelante con tal de no prescindir del placer que sentía. Me negaba, incluso y conscientemente, a la charla amigable y frívola con las mozas de la gasolinera o no hacía caso de la posibilidad que se me presentaba de pararme en algún restaurante o cafetería de los muchos que hay en las carreteras del país, a tomar algo y disfrutar con ello. Me negaba a todo lo que no fuese avanzar, seguir hacia adelante, llegar cuanto antes.

En realidad también había sido así mi propia vida. Una sola tensión, un solo placer, una sola entrega. Después de aquel encierro de los primeros años, me subí a la tensión que habría de disponer de todo mi esfuerzo y aún no sé si, a estas alturas del discurso, me habré desprendido de ella tanto como me es necesario si quiero aprovechar bien los últimos tramos del viaje.

Sentí que el viaje terminara y decidí prolongarlo; por eso, al llegar a Vidán y antes de enfilar la cuesta que lleva al semáforo de la entrada al campus, giré a la izquierda y me metí por la carretera que conduce al pazo de San Lorenzo, primero, a la zona del Pombal, después. Y allí sí estaba La Ciudad.

Al final de la Rúa de Poza de Bar, torcí a la derecha y subí por la Costa do Cruceiro de Galo para, acto seguido, girar a la izquierda, luego a la derecha y, por la Rúa do Pombal, acceder a San Clemente. Bajé de nuevo. La Ciudad es una sucesión de colinas suaves sobre las que está asentada, pero recorrerla puede resultar, aunque de forma escasamente consciente, un subir y bajar que acabe por resultar incómodo a quien no se provea, previamente, de la necesaria calma para recorrerla como en una caricia que se vaya deslizando por la piel de sus calles enlosadas. Y las caricias suben y bajan, se desplazan de un lado a otro, vuelven, vienen de nuevo, regresan, se van y nunca terminan. Pues así los paseos por La Ciudad.

Subí a San Clemente y bajé hacia La Trinidad para abandonar el coche en el aparcamiento que hay detrás del Palacio de Raxoi. Estaba en mi infancia. Había regresado. Descendí del coche conteniendo la respiración agitada que se había adueñado de mí. ¿Cómo no se me había ocurrido en la ocasión anterior entrar por donde lo hice en ésta? Doblé la esquina suave que hace la iglesia de San Fructuoso y contemplé atónito la esquina de la antigua Morgue, también la de la Falcona, en los comienzos de la Costa do Cristo, antes de ascender por ella para dirigirme a la contemplación de la Praza do Obradoiro.

Volví la vista atrás, ya desde el medio de la cuesta, y, un volumen que ocupaba mi recuerdo, no estaba, en realidad, al alcance de mi mirada; y aun a pesar de ello, mis ojos, lo buscaban con avidez. Había desaparecido de su esquina la iglesia de La Trinidad. Quedé sorprendido y atónito. Durante un buen rato permanecí en medio de la cuesta, sin decidirme a continuar subiendo, absorto en un mundo de recuerdos y sensaciones relacionados con la iglesia desaparecida. Luego asomé a la contemplación de la fachada del Obradoiro. Y sollocé.

Recorrí la plaza deteniéndome en los lugares que había habitado en mi infancia, en aquellos en los que había jugado a todo lo que un niño pueda hacerlo en las horas próximas a las del atardecer o en pleno mediodía, siendo verano o invierno, casi siempre con lluvia. Me acogí a los soportales de palacio como había hecho de niño y recordé a Anselmito Toledo, un cretino, conocido igualmente como «El Chulo del Berbiquí», compañero de infancia, petulante conspicuo y guapito de cara, a quien hacía años había encontrado —paseando por Picadilly Circus con bolso de cuero en ristre, de esos que llaman, o llamaban, mariconeras; porque ahora ya no se usan, aunque me temo que él sí lo siga utilizando— convertido, quién lo iba a decir, en un profesor universitario lleno de toda la petulancia que el estólido suele llevar consigo; aunque sea en la alforja que le pende de un costado, a falta de cerebro donde alojarla e incapaz de dejarla en casa siquiera sea por unas horas. Lo recordé con sus rizos grasientos ca-

82

yéndole, en cascada, sobre la frente resumida, pavoneándose ya desde su más tierna infancia, apoyado en una columna y luciendo la atiplada voz blanca de soprano que, el muy «castrati», exhibía como pueri cantor de la capella catedralicia y en los soportales del palacio de Raxoi, para envidia de todos nosotros. ¿Seguirá teniendo ahora voz de contratenor? Es posible. También es posible que le envidiase aquella voz, aguda y potente, de la que yo siempre carecí; dueño como soy de una voz pequeñita, pero mala. ¡Anselmito Toledo, que creía que la plaza entera le pertenecía!

Cuando lo vi en Londres, no hace todavía muchos años, se había convertido en un radical de izquierdas; él, que nunca se había comprometido con nada, ni con nadie más que con él mismo, durante la dictadura, ahora, en democracia daba lecciones de pureza a cualquier idiota que, como yo, se lo tropezase por la calle, en Londres o en La Ciudad, siempre con la mariconera en ristre, siempre con la alforja llena de la petulante alfalfa con la que se alimentaba: paja, al fin y al cabo, aire envuelto en hierba seca, humo, sólo humo, humo de paja. ¡Oh, petulante!

Recordé a Abrahán López de Castro que ya pintaba niñas con los ojos asustados y llenos de luz y recordé a otros, cuyas sombras se ocultaban detrás de las columnas, con la fidelidad perruna que significa la vivencia recobrada, el haber compartido la misma luz que se va siempre por detrás de las «cuatro sotas de la baraja» que culminan la iglesia de San Fructuoso y me pregunté por todos ellos. Lo hice con la angustia del niño que pronto tuvo que dejar de serlo, porque los tiempos lo llevaron por caminos de los que ellos nunca sabrán nada. ¿Qué habrá sido de ellos?

Fui un niño con corta infancia. Lo supe siempre, lo sé ahora, y lo recordé mientras paseaba por el Obradoiro, a bordo de este mi cuerpo apenas tembloroso. Son pocos los recuerdos y se agotan en la muerte de mi padre. No es buena cosa saber que te robaron la infancia y tampoco es bueno constatar que se te fue la vida, consumida en una tensión que no te dejó reposo. ¡Maldita infancia y maldita música!

Escapé de la plaza subiendo por las escaleras que atraviesan el arco sobre el que se asienta el palacio arzobispal y lleva a la fachada norte de la catedral, la de la Azabachería, y me encontré de lleno con la infancia de la que estaba huyendo, de lleno con el momento en que abandoné la niñez y traspasé la puerta grandiosa de San Martín llevado por mano que recuerdo sin piedad ninguna.

Al poco de morir mi padre, cuando La Ciudad comenzaba a superar la división habida entre hidrófilos e hidrófobos y mi tío Álvaro olisqueaba el gran porvenir de los negocios de saneamiento, mi abuela comenzó a sentir la necesidad de ganar el cielo a cuenta. Tenía que hacer méritos cuanto antes y no se le ocurrió mejor anticipo que el de que, su nieto bienamado, fuese obispo. En su intento de ganar el cielo a mi costa le ayudaron eficazmente sor Julita y sor Maximina, quienes monologaban en mi presencia acerca de que Dios me había tocado con su gracia y era evidente que estaba llamado al camino sacerdotal. ¿Llegué a creérmelo? Me da la impresión de que nunca del todo, pero, sumido en un mar de dudas, dejé que mi voluntad fuese conducida entre las monjitas del Colegio de las Huérfanas y mi santa, o al menos aspirante a ello, abuela.

Es increíble lo que pueden dar de sí unas horas, incluso unos minutos; incluso, dicen, unos segundos, acaso unos breves instantes; un instante, tan sólo; aquel que precede inmediatamente al del último suspiro y en el que, afirman, se le hace visible al moribundo toda su vida entera. No creo que sea cierto. En esos momentos bastante ocupado estará uno en abandonar esta vida con la mayor dignidad posible, o en negarse a ello con vehemencia, o en no reconocer proximidad alguna de la realidad de este hecho, o se verá ocupado entero de terror, o deseando que el dolor abandone su cuerpo lacerado. Habrá también quien halle la paz en el consuelo espiritual que le pueda, sepa o quiera facilitar el ministro de su religión y quien rechazará los ritos que esa religión le imponga por la simple razón de que le parecerán ridículos y, ni en esa ocasión única, el sentido del humor, o el del absurdo, dejarán de acompañar al moribundo. Por ejemplo, yo ahora no sé si me estoy muriendo.

No sé cómo será mi postrer momento, pero por lo de ahora es evidente que voy recordando todo aquello que me trajo hasta aquí de una forma paulatina que, el encuentro con La Ciudad, hace más posible. Tampoco sé cuánto tiempo estuve detenido delante de San Martín, delante del edificio que albergó el Seminario en el que entré llevado de la mano de mi abuela, aquella virtuosa mujer que recuerdo sin amor.

Capítulo quinto

> *Hay ahí el espíritu y la materia, la especie*
> *y el individuo, la evolución y la permanen-*
> *cia, el pasado y el porvenir, la vida y la muer-*
> *te, acumulados en un recinto que nuestra*
> *mano levanta y que abarcamos de una mira-*
> *da, y se puede preguntar si la fuerza de los*
> *cuerpos y el puesto que ocupan en el tiempo*
> *y el espacio modifican tanto como creemos*
> *la idea secreta de la Naturaleza, que procura-*
> *mos descubrir en la historia de la colmena,*
> *secular en algunos días, como en la gran his-*
> *toria de los hombres, de los cuales tres gene-*
> *raciones llenan más de un siglo.*
>
> MAURICE MAETERLINCK, *La vida de las*
> *abejas*, Libro Tercero, Cap. XI.

La verdad sea dicha, no recuerdo muy bien cómo
comenzó todo. Tengo una vaga idea, vaga y somera,
de una visita, realizada en compañía de mi abuela,
al entonces cardenal Don Servando Virola, un hombre grande y afable, al que, un convecino suyo, en
vista de que, empezando de monaguillo en la peque-

ña parroquia de una aldea remota, había llegado a príncipe de la Iglesia, profetizara que, de seguir así, llegaría a dios. No se sabe a ciencia cierta si se trataba de una afirmación llena de ironía, hay quien dice que sí; pero Don Servando no era un hombre endiosado, ni mucho menos. Por el contrario era bondadoso y, parece ser, padecía de todos los defectos propios de la carne: era glotón, lento de movimientos, amante de los buenos vinos y gustaba de, al menos, contemplar la hermosura femenina en la medida que, su ministerio y las circunstancias, se lo consintiesen. Espero que su espíritu haya sobrevivido a su carne; seguro que así ha tenido que suceder, sin duda. Carecía de los defectos que corrompen el espíritu: no era soberbio, ni irascible, ni avaro, egoísta o carente de piedad. Creo que nos había recibido poco después de la muerte de mi padre y que, el motivo fundamental, era precisamente ése: el de acoger bajo su sombra protectora al hijo del fallecido alcalde.

Todo tenía una explicación y la afabilidad del cardenal, cierta y reconocida, se extremó en la ocasión que cito. Mi padre había sido un hombre liberal, en absoluto piadoso ni frecuentador de los sacramentos, lo que, en La Ciudad anterior a la guerra civil no era precisamente un timbre de gloria y sí más bien un baldón que podría ser recordado en cualquier instante. Hoy causa risa el hacer memoria de las cosas que se podían escuchar como verdades de fe siendo yo niño; pero por aquel entonces se afirmaba, sin rubor, que «una vez al mes, hay que lavar los pies» y era, en aquel contexto mental, en el que la voluntad de mi padre, había llevado el agua corriente a los domicilios particulares. Por citar tan sólo un ejemplo.

Yo era hijo de un réprobo. Un réprobo en ciernes. No para Don Servando, es cierto, pero sí para muchos miembros de su rebaño y él lo sabía. Por eso la visita fue difundida y comentada. Si la doble moral consentía en alabar la memoria del fallecido alcalde en unos ámbitos propicios a ello, y en silenciar los comentarios en otros que no lo eran tanto, asintiendo con leves oscilaciones de la cabeza, mientras se dejaban deslizar las manos, la una sobre la otra, de forma que el dedo pulgar de la izquierda resbalase, al final del ciclo y en el instante de iniciar otro, por entre el índice y el pulgar de la derecha, y vuelta a empezar. Y mientras que eso sucedía, las cejas enarcadas y los ojos atónitos, posaban una mirada absolutamente inexpresiva sobre las cosas más alejadas, indefinidas y distantes; si eso era así, y lo era, nada de particular tenía que la visita fuese valorada de muy distintas formas.

En unos lugares, se sospechó que era un triunfo habido sobre el liberalismo decadente: yo ya nunca sería masón como mi padre; en otros, que se había manipulado a un pobre y tierno huérfano en aras de oscuros y reaccionarios intereses; en otros más, que la caridad cristiana no hacía distingos entre inocentes y sí entre los adultos corruptos, lo que no era el caso; en todos, se supo que el señor cardenal había recibido a la madre política y al huérfano del fallecido alcalde. La verdad es que Don Servando fue muy amable y me invitó a churros con chocolate.

Mientras hablaban él y mi abuela, me entretuve en hojear en «El Mensajero del Corazón de Jesús» las páginas dedicadas al Padre Damián, conocido también como el Apóstol de Molokai, un santo en trance de serlo, que había dedicado su vida al cuidado de los leprosos. Recuerdo vivamente la impresión que me produjo el leer que, uno de los primeros síntomas de la lepra, era la insensibilidad de las extremidades inferiores ante el agua caliente. Durante mucho tiempo, todavía hoy a veces lo hago, pienso en que no padezco la enfermedad, cuando, al entrar en el baño lleno de agua hirviendo, compruebo que me escalda y entonces me alegro de ello, ¿cómo no? ¿Cuántos años viví obsesionado con el mal que produce el bacilo de Hansen? No lo sé, pero muchos. Me tranquilicé algo cuando supe que se transmitía a través de los mocos de la nariz y no por el aire, como se afirmaba. Todo había consistido en miedos propios de un niño, es lo más probable.

La lepra, su apóstol, la reliquia del mismo que venía adjunta a una página de la revista —un trozo de tela blanca que asomaba a través de un papel de celofán de corte circular, pegado a una estampa que se regalaba con la misma—; la lectura interminable de favores recibidos por su mediación, me distrajeron de la conversación principal de aquella tarde, en la que es muy posible que se decidiese mi destino; así que todo lo que puedo hacer al respecto son suposiciones. Pero es casi seguro que se habló de mi entrada en el seminario.

Recuerdo, en cambio, con mayor nitidez otra conversación, que tuvo lugar delante de San Martín, entre mi abuela y el Vicerrector del centro, don Samuel Parrado, un hombre curioso, de quien se afirmaba que, durante la celebración de la Misa y en el momento de la consagración, padecía unas dudas terribles que le producían enormes crisis y le obligaban a arrodillarse temblando, mientras sudaba a mares y hacía continuas confesiones de fe. En aquella ocasión se habló ya del día de mi incorporación al régimen más o menos normal en el que habría de vivir en aquel pétreo recinto de veintidós mil metros cuadrados de superficie en planta que, después de El Escorial y la Fábrica de Tabacos de Sevilla, constituía el tercer edificio urbano de España y el primero de Galicia.

Asistí a la conversación ajeno prácticamente, si no a ella, sí a lo que significaba para mi futuro. Los seminaristas eran algo habitual en el paisaje urbano de mi niñez y mis diez años no me permitían colegir nada de lo que se me avecinaba. Incluso el tipo de vida que se me consintió llevar no tuvo, ni mucho menos, la dureza habitual que sí padecían el resto de mis compañeros.

Los vi salir aquella tarde, debió ser por lo tanto la de un domingo, embutidos en sus sotanas con beca azul y esclavina bordeada del mismo color, en filas de a dos, camino de algún paseo hacia alguno de los bosques vecinos que, después, habría yo de frecuentar con ellos. Don Samuel llamó a un grupo y les dijo que pronto yo sería uno más, con ellos, en el camino de perfección y servicio al Señor que habían emprendido. Me observaron indolentes y luego que fueron autorizados se reincorporaron a las hileras que semejaban interminables.

Durante dos o tres años, hasta que se descubrió el enredo, fingí ser sobrino de Don Samuel y llegué a asumir mi mentira con tal naturalidad que incluso llegué a creérmelo yo mismo. Me valió la consideración de mis compañeros y significó la consolidación de mi estatus entre mis iguales, puesto que, supongo que a instancias de mis apellidos y del señor cardenal, junto con los dineros de mi abuela, ya lo tenía asentado, de forma bien sólida, entre los profesores del centro de formación de sacerdotes de la Santa Madre Iglesia Católica, Apostólica y Romana, en La Ciudad.

Aquella tarde incluso me alegró la idea de ser uno más entre todos aquellos niños ensotanados que lucían hermosas becas azules portadoras de un aro, también azul, y se tocaban con bonetes emborlados y relucientes . Entre las muchas creencias que profesaba en aquel entonces, junto con la de que los niños los traía la cigüeña de París, estaba la de que, en el Seminario, se jugaba al fútbol y se rezaba como ocupaciones principales que se desarrollaban mientras se permaneciese en él. Además yo iba para obispo, según me había asegurado mi abuela, y eso ayudaba bastante a imaginarse una vida llena de colorines y de boato litúrgico que, a mí, me agradaba sobremanera.

Todo lo que fuesen procesiones, actitudes solemnes y pausadas, cánticos languidecientes y de fácil memorización, eran argumentos a favor de entrar en aquel recinto en el que, lo único que podía molestarme, era la idea de competir futbolísticamente con niños que basasen en su fuerza física su concepción del juego. Había sido educado casi entre algodones, ésa es la verdad, aunque dueño de un espíritu de libre-pensador, heredado de mi padre, que me permitía desear e incluso soñar en la aventura no exenta de riesgo. Podía navegar en una balsa, hecha de forma tosca, por una laguna formada por la sucesiva acumulación de agua de la lluvia y con riesgo de ahogarme, pero aceptaba el riesgo porque suponía que, en el último instante, habría de salvarme gracias a la aplicación inteligente de alguna artimaña surgida de mi mente, de suyo calenturienta y activa, ágil y, quería creerlo, poderosa cuando no segura.

Aquella tarde de domingo vi salir a los niños seminaristas y casi deseé ser ya uno de ellos, aunque no pude evitar el sentimiento de separación que habría de permanecer en mí durante toda mi estancia en San Martín Pinario y que, lo más probable, es que fuese consecuencia del distanciamiento en el que, con respecto a todo, había sido educado. La ausencia de mi madre, el predominio de mi abuela, que era una mujer habituada a la frase corta y apenas susurrante de órdenes que se cumplían de inmediato. La buena predisposición de ánimo de la anciana para salpicar toda conversación de contundentes afirmaciones de índole semejante a las de «qué asco me produce», «menudo sinvergüenza», «ya su madre era un pingo» que, habitualmente, solían entronizarla a ella por encima del bien y del mal dejando, a los demás mortales, el primero su propio hijo, muy por debajo del nivel mínimo de aceptación exigible para competir, ésa era la palabra, con ella. Mi abuela era un gran hombre. Oí como así lo afirmaba Don Manuel González Rajo, director del Seminario Menor, el primero que yo tuve, durante los cinco años que permanecí de filósofo, estudiando humanidades, bajo su férula. Y llegué a creerlo.

¿Cómo no iba a creerlo? O mi memoria no era lo necesariamente fiel y consistente, o mi voluntad era débil y fácilmente conformable. En tal medida esto debía de ser así que yo, que tenía voluntad suficiente como para doblegarme a los rigores del estudio y de la disciplina (probablemente por escaso espíritu de rebeldía, por desarrollado sentido de la sumisión) carecía de ella en absoluto para evadirme de las afirmaciones que me conturbaban y que conseguían que mi razón las rechazase de forma insuficiente como para que no permaneciese un rescoldo de duda, alumbrando en el interior de mi torturado cerebro.

En aquellos tiempos se afirmaba que, la gente de izquierdas, tenían cuernos y rabo, y los niños nos lo creíamos. Cuando se lo he comentado a los músicos más jóvenes de las orquestas que he dirigido, conseguí de ellos sonrisas afectuosas y complacientes para con el exquisito sentido del humor que profesaba el viejo director de orquesta o para la ironía de la que hacía gala; nunca conseguí ser creído. Pero era así. Mi memoria pugnaba con mi sentido común y mi inteligencia lo hacía con mi voluntad; no conseguía recordar ningún tipo de siquiera someras protuberancias en la frente de mi padre y me costaba imaginármelo con rabo entre las piernas; pero lo cierto es que, en algún lugar de mi mente, nunca lo rechacé del todo.

¿Mi abuela se lavaba por partes? No lo recuerdo. En su casa jamás vi una bañera y sé, seguro, que los familiares que venían de visita, solían ir a bañarse, pues hablaban de ello delante de mí sin recato alguno, a una casa de baños; lo que para mí constituía una exquisitez inalcanzable. En casa de mi padre sí teníamos baño y lo utilizábamos. Unos depósitos de agua y un motor que la impulsaba por el interior del edificio, luego de extraerla del pozo que había en la huerta, lo permitían. Pero no recuerdo haberme bañado durante los pocos meses que permanecí en casa de mi abuela.

Recuerdo, en cambio, a mi tío dándole cuenta diaria de las ventas de la camisería y ocultándole al principio el nuevo negocio de ventas de material de porcelana para los cuartos de baño caseros. Mi abuela solía escucharlo con cierto aire de desprecio iluminándole la comisura de los labios, al tiempo de alumbrar una semisonrisa indescifrable que a todos inquietaba y que nadie tenía por costumbre soportar durante mucho tiempo. Tal era el desprecio que de ella emanaba.

Pues de aquel gran hombre que era mi abuela, de la muy grande probabilidad de haber tenido un padre rabilargo y de la presencia de un tío habituado a predicar y llevar el trigo a su granero, debí de aprender yo, de manera totalmente inconsciente, a distanciarme de las cosas y pasar sobre ellas levitando sin que, el polvo que de ellas a menudo proviene, llegara a posárseme en los flecos de la sotana que, inmediatamente, vestí apenas enterrado mi padre.

Don Manuel González Rajo me tomó también bajo su protección; la fe de mi abuela era de las que movía montañas y, de ser algo, aquel director no pasaba de ser una duna fácilmente trasladable. En tal medida lo era que, siendo como era director de la Scola Cantorum, bastó una leve indicación de la matriarca para que yo fuese incluido en ella como tiple primero, lo que no tuvo efectos beneficiosos que redundasen en favor del coro o de mi atribulada garganta, pero sí, en cambio, sirvió para que durante el primer año de mi estancia en el enorme edificio y prácticamente a diario Don Manuel me llamase a su despacho para enseñarme fotografías pertenecientes a los tiempos de su estancia en Roma y frotarme la barba con una dedicación enfermiza.

La capacidad de distanciamiento fue la que me salvó, una vez más, de sucumbir ahora sé muy bien a qué. Pero entonces no lo sabía.

Tengo que agradecerle a Don Manuel que me enseñase las fotografías de Roma. También que pretendiese hacerme cantar. No aprendí. Pero sus esfuerzos sirvieron para que, consciente de que mi garganta no respondía a lo que mis oídos y mi cerebro le sugerían, pusiese mi empeño en ir desentrañando todo lo que, el papel pautado, me indicaba. Así fui llenando de música mi cerebro. Fue un ejercicio que inicié muy temprano el de imaginarme los sonidos y almacenarlos en mi mente. El de saber cómo tenían que sonar una voz y otra y otra y otra y conjuntarlas, a todas ellas, un instante antes de que se produjese el milagro de sus consonancias. Aprendí a escuchar la música dentro de mi caja de la memoria sin necesidad de que estuviese sonando fuera de ella.

¡Oh, la sonrisa de Don Manuel, su propia música! Una mañana, siendo muy niño, llegué a casa y, sorprendentemente, estaba mi padre en ella antes de haber llegado yo. Se lo agradecí mucho porque venía atemorizado, no recuerdo si por sor Julita o por sor Maximina, por alguien que nos había explicado, durante toda aquella mañana, los terribles padecimientos a los que estaría sometida el alma de quien, por haber pecado y muerto sin estar en gracia de Dios, fuese a dar con ella en el infierno. Realmente era terrible, tan sólo con pensarlo. ¡Durante toda la eternidad! Nada menos.

Interrogué a mi padre. «¿Pero es posible...?» le decía. «Sí», me confirmaba. «¿Toda la eternidad...?», insistía yo. «Toda», me reiteraba él.

«¿Toda, toda, toda?», porfiaba yo nuevamente. «Sí, toda» asentía mi padre; y así hasta que supo de mi angustia y se conmovió. Entonces posó su mano sobre mi cabeza, me despeinó y, sonriéndome, me tranquilizó como supo y pudo: «Pero no te preocupes, hijo, que acaba uno acostumbrándose a todo».

Pues así el tormento de la sonrisa de don Manuel, siempre abierta. Hablaba sonriendo y luciendo una dentadura poderosa, los dientes apretados unos contra otros, la boca cerrada, los labios forzados en la amplia abertura que dejaba al aire las encías, la sonrisa eterna. El aire se introducía en sus pulmones después de atravesar los intersticios interdentales que quedaban, cerca de las comisuras de los labios, entre los colmillos. Se trataba de una introducción ruidosa, de bomba aspirante impelente, húmeda.

Fue su recuerdo el que me sacó de mi ensimismamiento. Contemplé de nuevo la fachada barroca y sentí irreprimibles deseos de penetrar en el interior del recinto. No supe sustraerme a ellos. Tampoco lo intenté y, decidido, me dirigí hacia el portalón de la entrada. Casi aseguro que, la sombra de mi abuela, me llevaba de la mano.

El portal de entrada me produjo la misma sensación de entonces, sólo que acentuada. Me pareció incluso más pequeño que la primera vez que entré en él, lo que no es de sorprender. Cuando retornamos a los lugares de nuestra infancia, sus dimensiones, nos suelen empequeñecer, aquellas que, durante años, ocuparon nuestra mente y todo se aminora; se diría incluso que vemos la realidad mucho más reducida de lo que es. El portal de entrada en San Martín es pequeño, y lo es mucho más si se piensa que es el que pertenece a la inmensa fachada barroca; y todavía lo es más si uno entra en él llevado del recuerdo de su infancia.

Al fondo, a la izquierda, un portero observaba a la

gente que entraba e ignoro si fue porque me reconoció, o simplemente porque no se atrevió a decirme nada, el caso es que me consintió entrar e, incluso, hizo además de salir de su guarida; pienso que con intención de ayudarme a subir las escaleras de acceso al claustro central. Yo tampoco me atreví a hablarle, pero cuando inició su ademán debí de mirarlo con desaprobación tal hacia su actitud que retrocedió y ni llegó siquiera a intentarlo. A lo mejor es que supo quién era yo, no lo sé.

Había un enorme silencio, ocupando entero el gran claustro de entrada, al contrario de la primera vez que entré en él. Entonces cientos de niños ensotanados jugaban, al fútbol en el patio, al marro en los claustros, o permanecían en corros hablando Dios sabe de qué. Sobre el silencio resbalaron, de pronto, las campanadas del reloj de la torre Berenguela; fueron recorriendo el claustro porticado, sus altas bóvedas, mientras yo permanecía estático sin osar, ni siquiera, apoyarme en una columna, atento como estaba al silencio, que permanecía incólume por debajo del sonido, superpuesto a todo excepto a los recuerdos. Así fueron llegando, graves y solemnes las campanadas. Se podría afirmar que continuaron vibrando durante un enorme lapso de tiempo en lo alto de las bóvedas del recinto sin llegar a extinguirse totalmente en el momento de llegar las siguientes. Y así hasta la eternidad.

Pero debajo del sonido que vibraba sobrevivía el silencio. Todo lo demás era silencio. Silencio y piedra. En las intersecciones de las losas del piso asomaban hierbajos similares a los que surgían en las de las paredes y no había pájaros revoloteando como entonces. Quizá porque no había restos de migas de pan de las meriendas de los niños seminaristas, quién lo sabe. En cambio estaba la hermosa fuente barroca de Casas Novoa ocupando un espacio que, en mi infancia le había sido negado. Pensada

97

para estar allí, en donde estaba ahora, había sido desplazada al patio de abajo, al inferior, porque en el central no le llegaba el agua. Acaso ahora no hubiese pájaros porque la fuente estaba seca. Cuando yo era niño en sus bordes se posaban los mirlos, sobre todo mirlos, y otras aves. Pero ahora no. Pensada para allí, no era de allí la fuente.

Seguí caminando hacía el lado izquierdo, buscando la inscripción que tantos sueños de niño había alimentado: «Viva el rey Don Carlos», todavía dice. Hay que mirarla oblicuamente, pegando casi la cara a la pared, sabiendo dónde está como yo lo sabía. Sólo así se encuentra. San Martín fue un nido de carlistas, por él paseó López Ferreiro que murió estando suspendido «ad divinis» por causa de ello; por él paseó también Amor Ruibal, que no lo fue y, en cambio, encontró una bicicleta al final de su camino. Los dos habitaron ese espacio, pero sus fantasmas no se me aparecieron en el día de mi primer reencuentro; ni siquiera me acompañaron por encima del silencio, quizá porque, de niño, nunca supe de ellos y los ignoré en su entidad mental y única.

Qué sensación terrible es la de volver al lugar de tu infancia y recorrerlo en soledad, sin nadie con quien recobrar los ámbitos amados, sin nadie a quien decir de tus fantasmas. Durante años mi familia fueron los muchachos con los que conviví dentro de aquella enorme masa pétrea. ¿En dónde están ahora? ¿Dónde sus voces? ¿Dónde sus voces aldeanas? Tan sólo tres éramos de La Ciudad y, cierto, de los tres tan sólo yo pude, durante largos espacios de tiempo, salir a comer y a dormir a casa de mi abuela; unas veces gracias a una afonía, otras gracias a una oportuna gripe. Pero mi abuela poco a poco iba dejando de ser mi familia, después mi familia fui yo mismo y la presencia lejana de mi tío.

Bajé al patio que había acogido a la fuente y allí seguía el enorme tejo, el enorme y viejo árbol de mi infancia de seminarista. ¿Cómo pensará la gente que es la infancia de un niño que estudia para sacerdote? ¿En qué creen que se diferenciará de la del resto de los niños? No lo sé, no conocí la de los otros niños; pero supongo que la de todos los niños que viven en un internado debe de ser muy semejante. Siempre pensé así. Me sabía distinto en la medida en la que, cuando salíamos los domingos, ensotanados y tocados de bonete, camino del Carme de Abaixo, por la Rúa das Hortas y el Pombal, hacia la Poza de Bar o el Bosque da Condesa, a retozar entre los robles o a desahogar jugando al fútbol al aire libre, lejos del claustro, lejos de la organización del espacio alrededor del vacío al que se privó, incluso, de una fuente porque no había agua que a ella llegase; cuando salíamos los domingos y las niñas nos gritaban «¡Cro, cro, cro, ahí van los cuervos, mañana llueve!» Cuando se introducían, provocativas y vulgarmente soeces, por entre nuestras filas, disimulando de una forma tan ostentosa que hiciese aún más evidente su intención; cuando eso sucedía y se rozaban sus ropas con nuestras ropas talares o, sus cuerpos, con los nuestros que eran templos del Señor, entonces, entonces me sabía distinto. Pero el resto de la semana, apenas.

También me sabía distinto cuando pensaba en el alejamiento del mundo al que se nos inducía, prohibiéndonos asomarnos a las ventanas que daban a la calle; aquellas desde las que se podía otear el Valdediós, las parejas amándose al amparo de la antigua muralla de La Ciudad. Incluso me sabía doblemente distinto cuando escudriñaba los campos desde el interior de las estancias que estaban a continuación de las camarillas, ya en el extremo del edificio y a través de las ventanas de pequeños cristales enmarcados por barrotes de madera, porque no echaba en falta lo que tenía delante, como el resto de mis compañeros, sino que lo que yo echaba de menos era, precisamente, La Ciudad que estaba a mi espalda. En todo lo demás era, éramos niños normales; probablemente con más miedo que los otros, pero normales.

Eso quiero creer, aunque sepa que no es enteramente cierto. Nos masturbábamos como hacen todos los niños del mundo, pero no todos ellos tenían el sentimiento de culpa que nosotros profesábamos. Estaba prohibida la lectura de periódicos y, sin embargo, los anuncios de crema Nivea del ABC, fueron culpables de ríos de semen que nunca confluyeron en avalanchas que lo anegaran todo. Esther Williams en bañador circuló en trozos de negativo de películas que me proporcionaba Fortes, sobrino de un acomodador del Salón Teatro para que yo se los vendiese a precio módico a mis compañeros, igual que vendía caramelos, comprados a quince céntimos en las Casas Reales, a precio de veinticinco; si es que ese día estaba de buen humor, de lo contrario el precio era más alto. Y eso me causaba satisfacción, como me divertía el hecho de imaginarme a mis compañeros masturbándose con una mano, mientras con un ojo guiñado escrutaban las formas de Esther Williams en el negativo que, próximo al otro ojo, mantenían entre los dedos índice y pulgar de la otra. Era un niño normal; tan sólo la culpa era mayor, el arrepentimiento más inmenso y, por lo tanto, el placer de mayor intensidad.

La educación sentimental que recibíamos nos hacía más exaltados, convertía nuestro apasionamiento y nuestro fanatismo en algo dotado de una mayor exacerbación. Así pasamos de unos extremos a otros, así vivimos siempre no en el filo de la navaja, sino en su extremo, en su punta más afilada y temible: yo en la música; otros en las guerrillas sudamericanas; aquéllos en la más recalcitrante ortodoxia; los más en la más desolada soledad. También los hubo que habitaron las pasiones más puras, los amores más albos, los vicios más abyectos. Éramos tan normales que nos convertimos en hombres normales, dotados para cometer las más normales atrocidades que consuma el ser humano, sus mayores pecados y sus mayores virtudes; porque de entre nosotros también salieron santos.

Todo era así. Sublime o abyecto. Creo que, entre aquellos muros, jamás padecimos terror físico. Al menos yo no lo recuerdo. Sufríamos, en cambio, un terror psicológico inconmensurable en aquel mundo, cerrado en sí mismo, en el que funcionaba más la amenaza, aun la retórica, de un superior que cualquier otra causa que pudiese inducirlo. Siempre estábamos amedrentados, siempre; temiendo la llamada a la habitación de un prefecto, allá en lo alto, en la torreta izquierda o al pie de unas escaleras debajo de cuyos peldaños podían esperar, ocultos, el paso de las largas filas de niños ensotanados tan sólo para mirarlos acerbamente. Y desde que entrábamos todo eran superiores, siempre había encima de ti una larga, eterna lista de responsables de tu cuidado espiritual y disciplinario de forma que, el autocontrol, llegaba impuesto, normativizado de tal modo que abarcaba no sólo el aspecto individual, sino también el colectivo. Nos vigilábamos unos a otros, nos regulábamos mutuamente, mutuamente nos delatábamos. Era terrible.

Retrocedí sobre mis pasos y caminé hacia el lado derecho de la fachada. Mientras lo hacía supe que, detrás de mí, caminaban voces jóvenes que era posible que me hubiesen identificado. «No debe querer que se le moleste...» les oí decir y seguí caminando; espero que de una forma no excesivamente temblorosa ya que, en aquel entonces, todavía el mal no había progresado tanto como hoy lo está; aunque lo tenga adormecido y como latente gracias a ese invento, a ese descubrimiento, para mí maravilloso, que es la levodopa; una droga que ayuda a que, la carencia de dopamina en mi sistema nervioso, sea más llevadera. ¡Oh, qué tiempos!

Ascendí por unas escaleras, escasas de luz, por las que lo había hecho, a lo largo de innumerables ocasiones, durante mi primera infancia y juventud. ¿En qué piensa uno en esos momentos de reencontrarse con el pasado bajo una luz mortecina? Creo que en nada. Si acaso es un sentimiento el que nos invade, una sensación casi litúrgica, que se apodera de nosotros y nos produce una enajenación, entre temblorosa y placentera, que nos lleva a descubrir que, lo que realmente sentimos ante el reencuentro, no es apenas otra cosa que curiosidad.

Esa sensación de estar ante una guarida abandonada y llena de despojos que se experimenta delante de un barco desguazado, fue la que yo tuve al llegar al primer piso y ver el estado al que habían quedado reducidos los dormitorios de antaño, los tramos, como se les llamaba en el lenguaje del seminario. ¿Cuál era el nombre del tramo que visité en ruinas? ¿San José, Sagrado Corazón? No lo sé. Pero pude ver al aire el barrotillo de las mamparas que separaban, unas de otras, las camaretas de cada uno de nosotros. Eran habitáculos de unos dos por dos metros, abiertos por arriba, es decir, que concluían antes de alcanzar los altísimos techos del enorme salón abovedado, velados a la posibilidad de observación desde los pasillos por una cortina que no sé si recordar muy limpia.

Poco era lo que había dentro de cada celda. La cama, una mesita de noche, la silla, un pequeño armario donde guardar la brocha de afeitar, el cepillo de dientes y los demás útiles de aseo; también la palangana, una jarra con la que ir a por agua para lavarse, un pequeño espejo, la bacinilla. Cuando nosotros, los alumnos, nos íbamos a misa dos criados recorrían las enormes salas dormitorio transportando un caldero inmenso en el que iban vaciando el contenido de los orinales. Si simulabas, o realmente padecías, algún enfriamiento o proceso gripal podías oír, mientras permanecías en la cama durante la mañana, el rítmico ruido de la orina, resultante de la evacuación nocturna de cinco o seis docenas de vejigas, al ser vertida en el descomunal caldero y sentir de forma inmediata tu estómago medianamente revuelto con la tufarada olorosa que acababa por invadir todo el ámbito del dormitorio inmenso.

Una vez se me ocurrió defecar durante la noche en el orinal. Durante días permaneció el resultado de mi acción en el suelo de la bacinilla, sin que me lo retirasen de allí, hasta que me decidí a tirarlo por el balcón arriesgándome a Dios sabe qué. Calculé mal y, a lo largo de semanas, aquella huella de mi paso por el mundo, permaneció en la fachada de San Martín Pinario hasta que, el viento y la lluvia, consiguieron dar cuenta de ella.

Aún pude identificar, al menos esa convicción tengo, el lugar en el que transcurrieron tantas noches de mi infancia. ¿Aquel colchón desvencijado, sería el que yo llevé allí para yacer sobre él en los largos insomnios que padecí? No lo sé. Puedo afirmar que una tristeza enorme se apoderó de mí y que sentí ganas de sollozar. Tanta vida convertida en piltrafas, reducida a aquel espectáculo lamentable a través del que era difícil transitar; oculto a la vista de los transeúntes que caminaban, ajenos a todo ello, al otro lado de la imponente fachada barroca; tanta ruina en el interior de una fábrica grandiosa ¿querría significar algo? Seguro que no. Había que connotar tan sólo la evidencia de un mundo que se había consumido en sí mismo y ello había sucedido, ni para bien, ni para mal, para cumplir la inexorable ley histórica que obliga a que el hombre sea siempre el mismo y, sin embargo, mejor. Siempre habrá mediadores entre el hombre y todo aquello que su razón le vela; siempre habrá formas de re-ligar, de unir al hombre con la parte más oscura y oculta de sí mismo y habrá nombres para cada una de esas partes. A veces hasta podrá haber tantos nombres como hombres, porque Dios somos cada uno de nosotros, porque cada uno de nosotros somos su templo y habitáculo más amado. Templos del Espíritu Santo, eso nos afirmaron que éramos. Dios está en cada uno de nosotros y, cada uno de nosotros tenemos un dios, pequeño y accesible, que nos consuela de nuestras miserias, que nos reafirma en nuestras convicciones y nos fortalece en nuestras dudas.

¿Qué divinidad me aconsejó abandonar el tramo de San José y ascender a la torreta de Nuestra Señora de Lourdes? ¡Sabe Dios! Pero lo hice, subí a las torretas, al lugar en el que, en un tiempo, estuvieron los dormitorios para los más afortunados, o para los que gozaban de mayor recomendación; en cualquier caso, para los que disponían del privilegio de una mayor independencia, posible tan sólo en aquellos dos lugares en los que dormían seis personas, cada una de ellas en un dormitorio similar a los de los tramos. El abandono era exactamente el mismo. Idéntica la ausencia de luz, similar el deterioro, terrible su contemplación.

Fui de los más afortunados. Viví en una de las torretas, después de haber habitado los tramos, cuando hube superado las enfermedades de los primeros años, las ínfulas que siempre me guiaron hacia la ley del mínimo esfuerzo en todo aquello que no fuese de mi entera devoción. Por eso cuando decidí que la música era algo que no podía eludir y me vi en la posibilidad de compartir un espacio con dos de los compañeros más dotados para su ejercicio, dediqué mi tiempo a ser llenado con la amistad, la conversación y el estudio de aquellas dos personas. Hacerlo en su integridad significaba renunciar a dormir fuera del seminario con la frecuencia con la que siempre lo había hecho pues así se me había consentido.

Fue una época feliz. Dejé de vender la nata de la leche que ocupaba el gollete de la botella que, todos los días, me hacía llegar mi abuela y la compartí con mis dos condiscípulos. Solíamos bajar al primer piso a que, el organista de la catedral, nos diese clases de piano y lo hacíamos, a menudo, mordisqueando rebanadas de pan, que habíamos hurtado de la comida, untadas con la nata de mi botella. Éramos niños felices. Componíamos un buen trío. Emiliano López Xanela componía extrañas frases resultado de estrambóticas traducciones: «A solis orto usque ad ocasum...» era el equivalente de «da sol en la huerta que es un caso...» y, cuando lo hacía, nos reíamos por los pasillos en los que, las risas, eran insolentes y, por ello, más gratas a nuestros oídos de niños. Mario Méndez Abalo, el otro de mis compañeros, podía afeitarse las cejas en un momento de depresión o euforia súbita, que ni se sabe, o pasarse el recreo cogiendo velocidad en una carrera que lo llevaba hasta la pared por la que conseguía ascender casi dos metros; o al menos eso creíamos.

¿Qué habrá sido de Emiliano? Mario murió estando en el seminario y siendo aún niños los tres. Apareció muerto una mañana y todavía hoy ignoro qué mal viento fue el que se lo llevó. Observé que se retrasaba y penetré en su camarilla. Estaba vuelto hacia la pared y posé mi mano sobre su hombro, para agitarlo, al tiempo que le decía «a solis orto usque ad ocasum»; pero no me respondió. Tiré de mi brazo, sin desasir mi mano, y su cuerpo se volteó hasta quedar boca arriba. Tenía los ojos abiertos y la mirada impasible y fría. Por su boca y por sus agujeros nasales asomaban unas enormes lombrices que huían del cuerpo muerto que hasta entonces habían parasitado.

Emiliano entró detrás de mí y me halló pálido y atónito, observando el rostro de la muerte por segunda vez en mi vida; pero yo no observaba la cara de mi amigo muerto. Lo hacía tan sólo con el reducto por el que asomaban las lombrices, tenía mi atención concentrada en ellas como si surgiesen de un abismo al que yo me asomase a través de su contemplación. Y así debió de ser. Al poco tiempo me sentí retirado de allí por dos prefectos de disciplina que me auparon en volandas, sosteniéndome por los codos, para llevarme a la enfermería y, de allí, a casa de mi abuela.

Cuando regresé al seminario, Mario era nada más que un recuerdo. Todavía lo es hoy, con sus lombrices asomando por los agujeros de su nariz, debajo de una mirada opaca y de una enmarañada melena producto de un breve y convulso sueño que lo alejó de nosotros.

Todavía estaba reconocible el dormitorio de Mario. Los azulejos blancos que protegían la pared de las salpicaduras del agua con la que se lavaba en la jofaina. La desvencijada mesilla de noche. Un somier deteriorado y lleno de óxido por todas partes. Antes de huir despavorido de allí y del recuerdo de mi amigo muerto, pude ver la base románica de las torres de la catedral, también la torre Berenguela, el convento de San Paio de Antealtares. Luego bajé a trompicones, asustado y disminuido, hasta que conseguí verme en la calle empujado por la mala visión que, el recuerdo, para mí había recuperado.

¿Adónde ir? La fachada de la Azabachería, la del lado norte de la catedral de La Ciudad, tenía la misma luz del día en el que mi abuela tuvo la conversación que yo supe capitalizar en mi favor durante años. Todo era idéntico, excepto que los automóviles ocupaban enteramente los espacios de la plaza por los que, en aquel entonces, circulaban con entera libertad los viandantes; acaso fuesen distintas las vestimentas de éstos, pero es seguro que seguían siendo los mismos. Tan repetitiva es la espe cie humana, tan monótono su comportamiento.

Permanecí un buen rato observando la catedral, primero, la fachada de San Martín, después, sin decidirme a ir ni para un sitio, ni para otro. Sólo cuando me sentí observado desde el portal de acceso al que había sido mi primer centro de formación, recordé a mi tío Álvaro y la obligada visita tantas veces pospuesta.

Creo que el temblor se hizo más intenso mientras permanecí quieto sin ser capaz de tomar una decisión. Cuando así me lo pareció, cuando creí que mis convulsiones eran más evidentes de lo deseable, comencé a andar hacia la casa de mi tío. Lo hice por la Rúa da Moeda Vella, dejando a la izquierda los sótanos de San Martín en los que se había acuñado moneda gallega por última vez, camino de la plazuela de San Miguel.

Al pasar por delante de la fachada de la iglesia de San Martín, nuevamente me invadieron los recuerdos. La voz de Mario surgía poderosa sobre las de los demás de la Scola Cantorum. Eran vísperas solemnes las que traía el viento del recuerdo y de su mano, venían los rostros dormidos de los seminaristas niños cuando, en las tardes de los domingos, recién regresados del paseo, extenuante y liberador, teníamos que asistir a la solemnidad parsimoniosa de las vísperas.

Lo hacíamos desde el coro y, desde él, podíamos observar aquel teatro abierto que era el altar mayor. El último sol de la tarde entraba por detrás del retablo convirtiendo el espectáculo en algo todavía más grandioso. Todo resonaba más nítidamente, cualquier eco era más diáfano. El coro gregoriano cantaba y, los demás, respondían. Cantábamos los de la scola las antífonas y los demás, desde abajo, hacían llegar hasta nosotros sus respuestas al cantar los versos pares. Al final resonaba, grandioso, el Magnificat; el quinto salmo que precedía a la Exposición del Santísimo y al largo rezo final del Santo Rosario.

Cuando hube rebasado la plazuela de San Miguel y la propia fachada de la iglesia de San Martín se extinguió el eco de las voces; incluso declinó el de la de Mario que pasó a ser una vaga ausencia en el recuerdo. La casa de mi tío, al comienzo de la Porta Da Pena, justo en donde habían estado las casas de la Inquisición en pleno siglo dieciséis, se me ofrecía a la vista, no sé si como un puerto de arribada forzosa o como una bahía cálida por la que pasar distante de ella para poder añorarla desde lejos, que en ocasiones así se provoca a la nostalgia y se la obliga a acompañarnos.

Mi tío Álvaro ocupaba la planta baja del edificio. Se había trasladado allí, a una vivienda que no tenía menos de trescientos metros habitables, llenos de imágenes policromadas, de muebles antiguos y de recuerdos de familia, para evitar tener que subir las escaleras que sus noventa años largos le aconsejaban eludir.

No recuerdo quién me abrió la puerta. Recuerdo, eso sí, que dijo «¡Ah, es usted!», me franqueó la entrada y, con voz chillona, elevándola, gritó hacia adentro: «¡Es el señorito Joaquín!». Le respondió una voz, no del todo cascada, no del todo correspondiente a la avanzada edad del cuerpo del que surgía, que, dirigiéndose a mí, me indicaba.

—¡Pasa, rapaz, pasa!

Capítulo sexto

El viejo canalla insistió:
—Pasa, rapaz, pasa.

Todavía era capaz de incorporar a su voz el soni-
quete preciso para que, la ironía, también la sorna,
surgiesen diáfanas a través de la entonación, de la
cadencia, de algo que permanecería en el aire hasta
que algo, un cruce de miradas, por ejemplo, consiguiese disolverlo. En esta oportunidad también fue
así.

Lo vi sentado en un sillón de mimbre, próximo a
una ventana, aprovechando la gris y escasa y difusa
luz del día; protegido por una manta de viaje que
quizás tuviese tantos años como él, tocado de boina;
las manos con la piel llena de manchas, pero posee-
doras aún de una lozanía y de una tersura impropias

109

de su edad. Sentí envidia y me senté al alcance de su mano, del otro lado de una mesita sobre la que reposaban un plato con fruta y un vaso con agua de limón. El viejo, además de canalla, era contumaz.

No nos dimos la mano, tampoco le di un beso. No nos abrazamos. Me senté en la silla y esperé a que fuese él quien retomase la palabra o me golpease amigablemente en la rodilla con la palma de su mano abierta. Nos miramos y esbozamos sonrisas tenues y, al fin, afectuosas. Todo normal. Incluso excesivamente normal. Parecía como si nos hubiésemos visto el día anterior y el tiempo no hubiese transcurrido, como lo había hecho, hasta convertirnos, a los dos, en unos ancianos. Éramos ya un par de viejos. Hablé yo.

—¡Estamos viejos, Álvaro!

—Sí. Lo estás, pero menos de lo que creía.

Curiosamente su comentario me agradó. Mi tío me llevaba veinte y tantos años y su comentario me satisfizo. Pensé en la edad que él tendría, ¿noventa y...?; lo miré de nuevo y, al hacerlo y ver su lozanía pulcra, me sentí sucio y decrépito. No supe cómo herirlo.

—Así que te convertiste en un viejo libertino...

Se sonrió complacido y se puso a silbar mientras miraba a través de la ventana. Por fin me miró de nuevo y, repiqueteando con los dedos sobre el brazo de su sillón, me dijo:

—Así que me viste en la televisión.

Asentí con la cabeza y temí que mi movimiento no fuese interpretado como aseverativo, sino como resultado del mal que padezco.

—¿Así que te gustó la rubia?

Evidentemente era un canalla. No asentí, me limité a mirarlo. En la calle, al otro lado de la ventana, podía verse cómo unos muchachos se proveían de droga y, luego, se encaminaban hacia el fondo de las escaleras de San Martín para administrársela

110

acogidos a ellas. Álvaro había seguido, con la suya, la dirección de mi mirada.

—Los desplazaron para aquí. Pobres.

—No temes que te asalten.

—¿Para qué crees que puse rejas en las ventanas?

Aquel viejo con respuesta para todo era el mismo que le había organizado la oposición a mi padre cuando la implantación del servicio de abastecimiento de agua; el mismo que se había enriquecido con el negocio de saneamiento; el mismo que me había incrementado, administrándolo correctamente, mi propio capital familiar y el que resultó de mi profesión de músico; el mismo falso beato que escudriñaba, desde detrás del cristal de su escaparate, las piernas de las sirvientas que recogían el agua de la fuente del Toural. Y todavía estaba vivo. Incluso era posible que me sobreviviese a mí. Siempre me había ganado él a mí en tomar la iniciativa.

—¿Qué tal Paco y Elisa, se portan bien? ¿Funcionan?

Le dije que muy bien, que excepcionalmente bien y me respondió que no le sorprendía, que ya se lo esperaba.

Con la mayor naturalidad del mundo me habló de ellos como de alguien muy próximo y querido. Habían vivido en la bohemia ibicenca, bordeado el mundo de los psicotrópicos, alimentando sueños igualitaristas y revolucionarios, habían experimentado dos o tres misticismos y, sospechaba, que andaban en el cuarto estadio de su preocupación cognoscitiva: con excesiva frecuencia le hablaban de Prisciliano, de que la suya fue la primera heterodoxia cristiana, de que propugnara en su tiempo la creación de conventos mixtos y de que, siendo gallego, lo lógico era que fuesen de él los restos que se suponían del apóstol.

—Me temo que pertenezcan a una secta Priscilianista.

¿Era aquél mi tío? Me di cuenta de que no lo conocía y reparé en la enorme cantidad de libros que adornaban la habitación. Siempre lo había imaginado detrás del mostrador, paseando también por la trastienda, acudiendo a las sacristías, pero no leyendo, no admitiendo tácitamente la posibilidad referida a Prisciliano. Tuve que admitir que, aquello, era demasiado para mí.

—Me sorprendes.

—Pues imagínate cómo estaré yo. Francisco es hijo mío.

No sólo no se inmutó, en el momento de decírmelo, sino que, ni tan siquiera se preocupó en mirarme para poder observar mi reacción. Me limité a mirarlo incrédulo.

—Debiste advertírmelo —acerté a comentar.

—Lo estoy haciendo.

—Antes de convertirlo en mi criado, quiero decir.

—¿Con qué objeto?

—¡Coño, es mi primo!

Me miró perplejo.

—Él no lo sabe.

—¿No lo sabe?

—¡Ca!

—¿Ca?

—Como mucho lo supone.

—¿Quién es su madre?

Se encogió de hombros, al tiempo que le sonreían los ojos, pero no respondió a mi pregunta. El viejo canalla todavía guardaba más sorpresas:

—Tampoco sabe que me va a hacer abuelo.

Se podía colegir de forma muy fácil que el bellaco de mi tío se estaba divirtiendo.

—¿Tampoco lo supone?

Guardó silencio y extrajo un sobre del interior de su bata, me lo alargó y me dijo:

—El resultado del análisis dio positivo. Dáselo a ella, por favor.

La vida de un hombre ¿cuántas vueltas puede dar en un segundo? ¿Cuántas palabras son necesarias para trastocarlo todo, para todo enturbiarlo o dotarlo de una diafanidad cegadora? Ni se sabe. En un instante decides firmar un contrato y dejar otro en blanco y la vida te lleva por caminos por los que nunca hubieras transitado de haber decidido firmar del modo exactamente contrario. Tropiezas con alguien en la puerta de una cafetería y lo que antes te era desconocido o ajeno se incorpora a tu vida de una manera definitiva e indeleble. Vuelves, al cabo de los años, y, la familia que creías diezmada, es otra y ajena que vas a tener que incorporar en el cuadro de tus afectos; pues te enseñaron hasta que te lo creíste, que, la llamada de la sangre, siempre debe ser atendida. ¿Qué otra llamada podía efectuarme Álvaro?

Guardé el sobre en el bolsillo y seguí esperando el contacto de la mano de mi tío sobre mi rodilla, pero no se produjo. Me sentí poseedor del secreto de una vida y añoré aquella que yo hubiera podido generar al tiempo que me preguntaba por el nuevo tipo de relación que debería de establecer, a partir de entonces, con el pariente recién obsequiado. La conversación continuó por derroteros propios de la ocasión y supe que estaba cansado, profunda y agotadoramente cansado, sin voluntad alguna de continuar hablando de cosas vagas y decidido a solventar la ansiedad que se iba apoderando de mí de la manera más rápida posible.

—Creo que me voy a ir.

—¿Ya?

—Ya.

—Es pronto, hombre.

—Estoy muy cansado y nos quedan muchas ocasiones para seguir hablando.

—¿De qué?

—De todo lo que queramos.

Y empecé a incorporarme. En ese momento sentí la mano de mi tío posada sobre mi rodilla.

—Siéntate, espero una visita.

Le hice caso y guardé silencio. Al cabo de un momento me atreví a preguntar:

—¿De quién se trata?

—Te va a agradar.

Pensé en que ya no conocía a nadie en La Ciudad y que ninguna visita me podría resultar grata.

—¿Tú crees?

—Lo creo.

Reanudamos la conversación y sentí el vehemente deseo de preguntarle en lo que la vida lo había convertido. Durante años las informaciones que recibía de La Ciudad no me habían advertido del cambio experimentado en el beatón que yo recordaba. Ni siquiera la maledicencia me había sugerido la posibilidad de que la familia hubiese aumentado gracias a su aplicación.

—¿Piensas decirle a Paco que es hijo tuyo?

—¡Ya se enterará, ya!

Supe que no pensaba decírselo y que sólo lo sabría testamentariamente, así que decidí no darme por enterado y continuar la relación en los mismos términos en los que había sido establecida desde su inicio.

Durante un buen rato guardamos silencio. Ocupados en observarnos abstraídos dejamos, ambos, que nuestros pensamientos llenasen el vacío que nuestra actitud producía. Era como si uno fuese sabiendo de los del otro y, telepáticamente, asintiese para confirmar las sospechas, las intuiciones, los múltiples supuestos que, dos vidas tan dispares, podrían generar en el pensamiento del otro. Tácitamente, pues, tuve que transigir con el convencimiento que mi tío tenía de la nulidad en la que mi vida se había convertido. Mucho éxito, mucha orquesta sinfónica —una detrás de otra—, mucho trabajo; pero nada sólido, nada que me permitiese afirmar que había vivido. No había compuesto una sola partitura, nada había salido de mi cuerpo que me perpetuase: ni un hijo, ni tampoco una criatura de mi mente. Álvaro me observaba con ironía y conmiseración, con distanciamiento y cierto ánimo comprensivo y jovial. El misticismo del que había carecido durante toda mi experiencia religiosa había surgido después y lo había puesto al servicio de la música. Ordenado sacerdote y enviado a Roma fui abandonando paulatinamente mis obligaciones, de forma sosegada y escasamente traumática, hasta el punto de que me di cuenta de que ya no ejercía el sacerdocio, tan sólo cuando observé que, todo mi tiempo, me lo ocupaba la música.

Al principio acudía a confesar a una parroquia vecina a mi casa, con objeto no de ganarme unas liras que no necesitaba sino de sentirme útil a los demás, de saberme sacerdote, ministro del Señor; también de estrenar mis recién recibidas órdenes mayores. Pero pronto me aburrió la sucesión de escrúpulos repetidos que las beatas depositaban en mis oídos y, el Santo Sacrificio de la Misa, se convirtió, de una forma que nunca sospeché tan rápida, en algo monótono y aburrido. La música lo llenaba todo y me absorbía enteramente.

Álvaro empezó a observarme de forma harto sarcástica y supe que pronto rompería a hablar. No me equivoqué.

—Nunca tuviste vocación alguna. ¿Verdad?

—Y tú siempre fuiste un hipocritón burgués y resabiado. ¿Cierto?

Los dos sonreímos y asentimos a la afirmación del otro. Fue el primer momento realmente grato desde que nos habíamos encontrado. Incluso podría afirmar que el único desde hacía muchos meses, quizá años. No es que la verdad nos haga libres, ni mucho menos. La verdad libera tanto como la mentira. A veces incluso no sólo no libera, sino que ata; mientras que más de una mentira nos hace sentirnos libres y ligeros, en unas ocasiones, retenidos y presos, en otras. Lo que libera realmente es una sensación que nos invade, tan sólo de vez en cuando, y deposita en nosotros la evidencia de la alegría; ya que no de la felicidad. Una sensación de bienestar, de confortabilidad y serena aceptación de la propia e intransferible realidad del momento. Y, esa sensación, fue la que al menos a mí, supongo que también a mi tío, nos invadió en el transcurso de aquella tarde; justo antes de que yo cayese en la cuenta de que, la anunciada visita, no había sido más que un ardid para retenerme.

La luz había ido desvaneciéndose del modo paulatino y acaso dulce, habitual en los finisterres atlánticos y supe que pronto sería de noche; lo supe con esa consciencia, producto de la intuición más que de la certeza horaria, tan propia de las situaciones semejantes a la que me retenía al lado de mi tío impidiéndome consultar el reloj de una forma que resultase natural. Temía que hacerlo dejase traslucir el deseo, por otra parte cierto, de salir de allí cuanto antes y no me parecía prudente, ni educado, ni tan siquiera mínimamente respetuoso para con el cariño y la gratitud que le debía, el que mi impaciencia me delatase de una forma tan torpe. Y tan simple.

Ignoro si Álvaro se dio cuenta de todo; pero se solucionó, del modo más sencillo, con una invitación a cenar.

—A mi edad apenas como nada; no tengo ya apetito y debo de cuidarme. Claro que tú, a la tuya, tampoco estás ya para muchos trotes y no te importará que lo hagamos frugalmente. Pero nos haremos compañía.

Me dijo el muy canalla. Después que hube aceptado y que quedó de manera patente clarificada su ansia de que, a partir de entonces, hiciésemos más intensa una relación inexistente hasta ese momento, se dedicó a ilustrarme por lo menudo de la rigurosa dieta a la que su edad lo inducía:

—De desayuno unas frutitas, un poco de queso, seis o siete mantecadas y un paquetito de galletas. A media mañana tomo las doce, y no me dejan tomar más que otras pocas galletas y, si acaso, unas lonchitas de jamón. Cosa de nada. Como un pescadito hervido, un filete a la plancha. Todo sin sal, insípido del todo. Nada de grasas. Algo de fruta, para quitar el sabor de unas cañitas de crema y, eso sí, el café no lo perdono con unas gotitas de aguardiente. Algún pecadito hay que consentírselo.

Había merendado algo, antes de que yo llegase, y cenó tal y como me había anunciado a base de quesos y frutas, de muchos y variados quesos y de bastante fruta. Concluyó tomando cerezas y uvas pasas en aguardiente.

—Muy buenas para coger un sueño sosegado y tranquilo, muy de agradecer a mi edad. Coge, rapaz, coge. ¡Ay si yo tuviera tus años!

Insistió el taimado justo en el momento en el que apareció en el salón la chica rubia de la televisión, la del coche fugaz en los alrededores de la Casa de la Santa, la del abordaje en plena calle.

Habíamos cenado, frugalmente, claro está, en el mismo lugar en el que había transcurrido el final de la tarde; sentado él en el sillón de orejeras, sentado yo en una silla con reposabrazos del otro lado de la mesa camilla que ocupaba una esquina de la amplia habitación sumida en una penumbra impropia de la clarividencia del viejo. O acaso no, acaso sí tuviese que ver con aquella personalidad llena de veladuras que había ido descubriendo, paulatinamente, después de tantos años de haberla tenido oculta.

En el momento en el que ella entró, mi tío continuó hablando como si nada hubiese sucedido; como si ninguna aparición se hubiese realizado. «Sabes, me dijo, que en tu Seminario fue encontrado el cadáver de un hombre el otro día. Estaba emparedado en el interior de una escalera ciega y, lo primero que se le vino encima al obrero, fue un cráneo que aún conservaba mechones de pelo. El pobre debió de morir apoyado en la pared que lo había aislado del mundo. Seguro que jugaste del otro lado de la pared siendo niño. Supongo que no te espeluzna el pensarlo.»

No fui capaz de espeluznarme. Ni siquiera de seguir el curso normal de la conversación que mi tío Álvaro había iniciado. Me limité a contemplarla a ella. Entró dominando el espacio que ocupaba, llenándolo no con el temor que lleva a los felinos a arquear el lomo para semejar más grandes, sino con la seguridad que proporciona la soltura y el conocimiento del territorio que se invade: le daba vuelo a su ropa, la ahuecaba al tiempo de separar los brazos del cuerpo y girar en redondo para sentarse de una forma más teatral de lo que yo hubiera sospechado nunca; sonreía de forma tan contenida que insinuaba una tristeza, falsa en su totalidad aunque probablemente cierta en su melancolía, pero que me produjo tranquilidad y confianza. Álvaro siguió hablando y yo la contemplé a ella.

En un momento determinado, cuando se produjo una pequeña pausa en el monólogo establecido por Álvaro, ella interrumpió cortésmente y se dirigió a mí:

—Ve como era usted, maestro.

Álvaro se sonrió y yo empecé a ser consciente del irreprimible movimiento de mi mano, sentí que iba a bailar desacompasada y nerviosamente, sin posibilidad de represión alguna y, de forma rápida e instintiva, decidí concentrar mi mente en algo lejano en el tiempo. De niño había temido morirme sin haber conocido mujer, sin haber sabido de mi capacidad para continuarme en otros seres. Recordé mi

118

primera masturbación y los escasos sentimientos de culpa que me había producido o que, la alegría de la constatación realizada, habían reducido a su mínima expresión. Mi mano agitada como si estuviera repartiendo cartas de una baraja invisible, o contando unas inexistentes monedas, trajo a mi emoción de viejo la conciencia de una antigua culpa.

Fue todo cuestión de segundos. En segundos eres consciente de algo que ha de prevalecer en tu cerebro toda tu vida; en segundos, eres capaz de recorrer distancias siderales si transcurres sobre ellas con el poder de tu mente imaginativa y fértil; en segundos, pronuncias una enorme cantidad de palabras, frases enteras, conceptos abstrusos; en segundos, naces o te mueres y, el más corto vuelo, es una eternidad.

Apenas mi mano inició su tembleque, ella la tapó con las suyas en una caricia, inesperada y protectora, que me sorprendió en su entereza, en su capacidad de ternura e, incluso, de rebeldía contenida. Sentí mi mano como si fuese un pájaro convulso retenido, con cálida firmeza, entre otras que se ahuecaban para no herirlo en el instante de constatar su debilidad; en el de impedir que se agotase en una huida que nunca sería posible y evitar, al mismo tiempo, que se golpease en un aleteo desesperado contra las cuencas cálidamente opresoras. Así mi mano y la suya.

La miré a los ojos, sorprendido de su madurez, y le busqué los años. No los tenía. Sus ojos aún esperaban sorpresas. No había las arrugas que suelen traer los años, cuando no los malos tiempos, ni el rictus amargo que se posa en la comisura de los labios. Era insultantemente lozana y no tenía una mirada sabia. Sin embargo había ahogado el temblor incipiente de mi mano.

Me pareció una mujer diáfana, luminosa, y temí enamorarme de ella. Nunca lo había estado, nunca las mujeres habían sido una ocupación fundamental

119

de mis intenciones. Cuando fui abandonando mis obligaciones sacerdotales, no faltó quien sospechó una apasionada relación con alguien que yo, celosa y púdicamente, velaba; pero no fue así. Se trataba de otra mi forma de proceder oculta. Todavía hoy, cuando sé que mi enfermedad ha de conducirme indefectiblemente a la muerte, pero con una parada intermedia en la degradación no sólo física, sino también psíquica, me olvido de que no solicité mi reducción al estado laico y sólo en ocasiones soy consciente de una cosa y de la otra: de que no la pedí y de que sigo siendo sacerdote. ¿Lo sigo siendo? No tuve apasionados amoríos que me alejasen de mi ministerio, ni siquiera tuve aventuras. Las evasiones, al menos como yo las pienso, no se compran; se viven. Por no tener ni siquiera tuve arduas disquisiciones morales que me autojustificasen de mi deserción, ya que tampoco fue eso. No fui consciente de que iba abandonando mi ministerio, simplemente llegó un momento en el que dije «caray, pero si ya no soy cura» y, sin embargo, no hubo otro en el que afirmase: «vaya, si estoy hecho todo un músico, todo un director» porque, así como no nací cura, sí nací director de orquesta. No se aprende a dirigir. Se aprende a tocar el violín, pero no a dirigir. La necesaria fuerza de representación mental de la partitura que ha de tener el director no es algo que se pueda adquirir académicamente. Se tiene o no se tiene, igual que se toca o no se toca, se sabe o no se sabe tocar, ese instrumento, ese organismo viviente que es la orquesta.

Organizar la armonía es construir un universo cerrado en sí mismo. Es crear. Es ser un pequeño dios omnipotente que habita el universo que construye y lo transmite y lo enajena y, como un dios, es celoso de su gloria y ama a su criatura en tanto que la refleja, pero no la comparte, su gloria.

La música. Regida por leyes humanas, refleja un

orden humano y, la capacidad de lectura e interpretación de ese orden, nos permite oír internamente lo que después ha de llegar a los oídos expectantes de los que la aman. A ella o a la capacidad de abstracción con la que nos equipa a lo largo de los pequeños o grandes tránsitos que, llevados de su mano, recorremos en el camino que nos conduce no se sabe si a la armonía o la inarmonía totales, a la fusión cósmica o al caótico delirio. La música.

Ella me ocupó de la forma en que dije. Y sólo cuando mi mano, apenas iniciado el convulso vuelo de San Vito, fue retenida por otra supe que añoraba algo que nunca había tenido.

Álvaro sonrió y pensé estúpidamente que me hallaba delante de otra prima. Algo se me debió notar en los ojos y fui advertido:

—Es Alexandra, la nieta de un amigo. Recordarás haber oído hablar de él. Tu padre le firmó el contrato que permitió que fuese construido el servicio de abastecimiento de agua a La Ciudad.

Lo dijo sin inmutarse y me limité a asentir. ¿Qué importaba ya aquello? Seguía sintiendo su mano sobre la mía. Ahora la acariciaba con suavidad e, instintiva y bruscamente, la retiré. Ella no se alteró. Me miró a los ojos, repitió lo de «¡Maestro...!» y, durante un largo tiempo continuamos hablando.

Se nos hizo muy tarde. Cuando nos dimos cuenta de ello, pensé en lo asustados que podrían estar en Brión por mi tardanza e insinué a mí tío la posibilidad de llamar por teléfono. La negó de inmediato. «¡Despertarlos a estas horas, tú estás loco!», me dijo y creí adivinar en el trasfondo de su voz una fingida y orgullosa preocupación de padre. Acto seguido añadió que ya ellos habrían llamado y estarían enterados de que permanecía, por fin, allí. Pero no insinuó ninguna posibilidad de que me quedase a dormir en su casa.

Nos despedimos con normalidad y sin grandes

efusiones. Un medio beso, en medio de un medio abrazo que concluyó con unas medias palmaditas en la espalda. Luego, el muy canalla, con una media sonrisa me dijo: «¡Cuídate!» y sentí impulsos homicidas. Xana salió de la casa conmigo y no sé si por timidez o por respeto a mi estado no me ofreció su brazo para caminar hasta el coche. Lo cierto es que tampoco yo sé si lo necesitaba o si simplemente era el deseo de sentirla cerca el que motivó el ansia de reposar mi mano temblorosa en la articulación de su antebrazo.

Caminamos despacio, hablando de banalidades, hasta acercarnos al coche, ya en el aparcamiento de detrás de Raxoi y luego de haberle explicado a ella dónde habían estado la iglesia de la Trinidad, la Morgue, la propia Falcona; las mismas explicaciones que yo me había formulado unas cuantas horas antes y que repetí, no tanto para informarla a ella, como para reubicarme yo en los espacios así recobrados, en los tiempos nunca del todo idos.

Al llegar al coche me preguntó si quería que me acompañase y un primer impulso de desconfianza me llevó a decirle que no; recordé que era periodista y que ya se había introducido en mi intimidad en medida mayor de lo aconsejable en el escaso tiempo que llevábamos de relación; pero de inmediato le pregunté cómo haría para regresar. Me dijo que podría regresar en mi coche, pedir un taxi o quedarse a dormir en algún sofá o, si acaso, en alguna habitación de huéspedes que estuviese preparada, porque le encantaría ser mi invitada. Acepté considerarla así.

—Conduce tú.

Le dije al tiempo de alcanzarle las llaves del coche y esperé a que ella abriese las puertas, para poder cerrar la suya suavemente y, pasando por detrás del coche, acceder yo a la mía. Me deleitaba siempre en esos pequeños detalles que, no sé por qué extraña causa me hacían recordar en muchas ocasiones mi todavía vigente condición de cura. Suponía yo, ignoro si con toda la razón que, tales actitudes, como mucho, sólo eran propias de los miembros de la alta curia vaticana, afectos a las buenas maneras y conocedores de los buenos resultados que suelen proporcionar los convencionalismos más nimios. Yo me deleitaba en ellos. Siempre me había gustado ser galante con las damas, siempre había sido cortés en extremo y, recobrar aquel aliento, rozando la madrugada en La Ciudad que me había visto nacer, a espaldas del palacio que había guardado la capilla ardiente del cadáver de mi padre era ciertamente un privilegio.

Salimos de La Ciudad y nos encaminamos a Brión. No conducía mal y me relajé en mi asiento apenas enfilamos la carretera de Noia. ¿De qué pueden hablar un anciano víctima del mal de Parkinson y una mujer aún joven, hermosa, que conduce un coche que no es el de ella? Seguro que de muchas cosas; nosotros lo hicimos del velatorio de mi padre, del entierro posterior, de la habilidad de su abuelo para los negocios. Nos reímos durante todo el trayecto y llegamos a casa demasiado pronto.

No quisimos entrar inmediatamente y le sugerí que fuésemos a la casita del taller de lutería, donde yo construía mi viola de gamba. Yakin y Boaz salieron a recibirnos. Los acaricié casi con violencia, palmoteándoles el pecho, la espalda, oprimiéndoles el hocico con mi mano hasta que gruñían ansiosos por desasirse. Suponía yo que así les indicaba quién era el que mandaba, quién el fuerte, infeliz de mí. Xana me observaba, sonriente, mientras yo jugaba con los perros y me sentí en la obligación de explicarle lo que significaba para mí la posibilidad de retozar con ellos sobre el césped, de oler la fragancia de la hierba inundando el jardín, mientras me revolcaba por el suelo, entremezclado mi cuerpo con el de los de ellos, hecho un revoltijo, debajo de los castaños, apareciendo fugazmente el estallido de color de las hortensias, el de los rododendros, también el de las azaleas.

Entramos en el taller y acarició las maderas, recorrió los lomos suaves de la viola y sopesó los instrumentos con los que la construía. Luego nos sentamos. Instintivamente cogí una pieza y comencé a lijarla mientras hablábamos. Ella me observaba.

Le hablé de la Casa de la Santa, del cuerpo que se veneraba en la iglesia próxima y de cómo, por unas razones o por otras, aún no había ido a visitarla; como si algo me lo impidiese. Ella me preguntó si había ido a visitar la tumba del apóstol y tuve que reconocer que tampoco lo había hecho. Durante un buen rato peroró ella acerca del cuerpo del santo, do corpo santo, y del cuerpo de la santa; de la extraña relación establecida entre un cenit y un nadir, entre dos nadires, entre dos cenits, en cualquier caso, entre dos polos del universo mundo que mi vejez habitaba. No sé si me conmoví, si me irrité o si, simplemente, llegué a asustarme un poco; pero quedamos, ya al final, en que visitaríamos juntos ambos lugares a fin de equilibrar no sé qué fuerzas a las que Xana se refirió con tanto acierto como para que yo aceptase prontamente aquella manifiesta intención compensatoria. Ya eran coincidencias, ya, las que entre los dos teníamos.

Las luces, la conversación alegre y despreocupada, en medio del silencio nocturno del campo, despertaron a Paco. Cuando lo vi aparecer de improviso en el quicio de la puerta recordé que se trataba de mi primo y no pude evitar el mirarlo con afecto. Fue un instante. Me dirigí a él en mi calidad de señor-que-paga-puntualmente-a-fin-de-mes-por-la-prestación-de-servicios y le rogué que dispusiera la habitación para Xana.

Xana se ofreció a hacerlo ella y Paco no insistió en

llevarle la contraria. Miró hacia mí indicándome que aceptaba que fuese ella quien realizase su trabajo y me gustó la dignidad de su gesto. Pensé que era muy posible que, aquella actitud, me hubiese resultado impertinente muy pocas horas antes, impropia de la contenida mesura con la que se entiende que han de conducirse los criados, pero que ahora correspondía a un miembro de mi familia, a alguien de mi misma sangre, y lo que antes hubiera sido insolencia, ahora resultaba ser dignidad. Realmente el filtro del yo, condiciona el universo entero en el que habitamos y consentimos que habiten aquellos que nos rodean.

Paco gesticulaba muy bien. Con apenas unos cuantos movimientos ligeramente insinuados conseguía comunicar aquello que fluía de su mente; podía hacerlo también a través de sus ojos, vivos e insinuantes, dueños de una mirada poderosa, cuando no de sus manos, acaso también de sus brazos y de los imperceptibles contoneos de su cuerpo. ¿Qué tal oído tendría? Deseé saber más cosas de él. Deseé que fuese un superdotado que hiciese honor a su estirpe de gente que había sobresalido en sus quehaceres de forma más o menos notoria. Y el gesto era importante. Yo lo sabía bien, ahora que comenzaba a no ser capaz de dominar los míos. ¡El gesto! En música tiene que ser, de forma ineludible, la máxima y más directa expresión del sonido de quien organiza la armonía, del que dirige la orquesta y crea un mundo de imágenes sonoras, previamente por él imaginadas. En el gesto ha de resumir y concentrar y ha de hacerlo en un solo rasgo, y uno detrás de otro, todo el proceso espiritual, todo el proceso volitivo, todo el esfuerzo de la imaginación creadora y organizativa que el sonido engendra, ni se sabe cómo, en el lugar que la fantasía ocupa en su cerebro.

Así el gesto ha de alcanzar la simplicidad de los instrumentos perfectos; precisión, facilidad, contención de movimientos, sentido inequívoco y, como la poesía, una mayor dotación de intensidad a los significantes que, el código musical, nos facilita.

Así también el cuerpo con el que se comunican cosas, estados de ánimo, secretos inviolables, deseos o enojos, ascos o vehemencias. Paco gesticulaba bien y su cuerpo dejaba escapar sus secretos a través de sus manos aunque estuviesen descansando extendidas a lo largo de su cuerpo. Incluso su voz dejaba entrever demasiadas cosas. En ocasiones arrastraba las eses como las beatas las avemarías, o sus manos organizaban el espacio en exceso.

Ya estaba próxima la madrugada y le ordené a Paco que volviese a la cama en un último intento de ser yo quien dijese la última palabra. No lo conseguí. Cuando ya iba cercano a la puerta del taller, se volvió y me dijo:

—¡Ah! Llamaron de Turín, su agente les facilitó el número de teléfono. Volverán a hacerlo mañana a primera hora. Mejor será que se acuesten.

Y se fue satisfecho de cómo había terminado su aparición nocturna. Xana no había ni siquiera insinuado la posibilidad de regresar. Era notorio que prefería quedarse en la Casa de la Santa y regresar a La Ciudad al día siguiente, pero todavía permanecimos un rato a pie charlando acerca de cosas que, a aquellas horas, alcanzaban un realce y una significación extraños, de los que carecerían en otros momentos más acordes con los hábitos de la mayoría. Pero yo estaba feliz. Feliz de pasar una noche en vela, feliz de hacerlo con una mujer hermosa; yo, el anciano enfermo de temblequera e incontinencia motora tan escasamente sublimes.

No me desperté tarde, tampoco temprano, es decir, serían las diez de la mañana cuando regresé al mundo traído a él por el ladrar de Yakin y Boaz. Xana ya se había incorporado y me esperaba delante de una mesa llena de fruta para el desayuno. No supe qué decirle. ¿Debe de sentirse sempiternamente decrépito y acontecido un hombre de mi edad afectado de Parkinson, o bien puede desear vivir de cuando en cuando, aunque las ganas no se le manifiesten en ningún estado exterior, visible a simple vista, y todo sea producto de una ebullición interior, oculta en el ensimismamiento? Ésa es la pregunta que me sigo haciendo.

Sería ridículo no haberme enamorado nunca y llegar a padecer tal sentimiento, justamente ahora, cuando ya nada tiene remedio y sé que mi fin está más o menos próximo. Cuando deseo que la degradación psíquica, que sé que puede esperarme a la vuelta de cualquier día, sea tal que me consienta ignorarla y tan grande su entidad que me suma en la inconsciencia de su evidencia. Habrá empezado ya o este sentimiento, que brotó incontenible y torrencial, será puro en medida semejante a aquella en la que mi cerebro todavía realice sus químicos enjuagues exento de la contaminación de la locura. El hombre es un milagro químico que sueña y la endorfina consiente la reacción, la precipitación química equilibrada del milagro. Su ausencia ayuda a la escisión de la mente. Tendré yo, ya, una mente para torturarme con mi desgracia y otra para alegrarme con el amor que, tarde, me reclama las enormes ganas de vivir que la vida se me había llevado con ella y que regresan a mí creo que ya sin tiempo, apenas; como una iniciación a algo que siempre fue conocido como los amores ridículos.

¡Qué más dará! Habitar en la irrealidad es tan humano, cuando no tan legítimo, como hacerlo en el mundo real, puesto que la realidad existe porque existimos nosotros y, de un sueño a otro sueño, ¿cuánto hay?, ¿dónde la exacta frontera?, ¿dónde el sollozo y, en qué lugar, la angustia?

Xana me esperaba al otro lado de la mesa, demasiado adulta para ser una muchacha, joven para ser una persona mayor, sonriendo de la mejor manera como para conseguir que yo olvidase que estaba enfermo y hacerme creer que mi rostro, hierático e inexpresivo, acartonado y rígido, se conducía a la par que el suyo y estaba radiante. Así quise expresárselo resumiendo toda mi ansia en la mirada, todo mi afán en unos ojos que, esperaba, pudiesen resultarle hermosos en medida semejante a la del anhelo con el que lo intentaba.

Desayuné con ella y, luego, salimos a pasear por la huerta. Una vez al fondo de ella salimos nuevamente; en esta ocasión lo hicimos a la carretera por la que yo había visto pasar a Xana, fugazmente, y esperé, sin fortuna, a que me confesase que por allí había andado en mi búsqueda. No dijo nada, ni siquiera reconoció el lugar o, al menos, no lo hizo de viva voz.

Caminamos hacia la iglesia de Santa Minia, un santuario apenas iniciado en su grandeza, que se quedó sin construir, en su totalidad, no se sabe si por falta de devoción o de dinero con el que sustentarla. El caso es que su fábrica enseña unos muñones graníticos que no dejan de prestarle cierto encanto, un algo de provisionalidad o de decadencia que, según los días, dota de dinamismo o se lo resta, a una construcción que, de no ser así, carecería de vida. Pero no entramos en la iglesia. Nos contentamos, me contenté, una vez más y sin saber el porqué de la razón que me llevaba a hacerlo así, con permanecer en los alrededores del templo. Paseamos sobre la hierba recién sembrada e incluso sentimos caer sobre nuestros cuerpos el agua de los aspersores que giraban con los impulsos rítmicos que, la propia fuerza del agua, producía.

Bajamos hasta la nueva casa consistorial, contemplamos el monumento mercurial que allí está, en medio del color de las prímulas y de los pensamientos que lo rodean, y entramos en el bar «El Paraíso» a tomarnos unos cafés con leche. Teníamos, yo al menos así se lo hice saber a Xana, y ella aunó sus síntomas a los míos, ese sopor no sé si post-prandial, que sigue al desayuno y que te obliga a mantener los párpados desusadamente abiertos, tan pesados se sienten, y la vigilia a duras penas; produciéndote, todo ello, un mal humor sordo y contumaz y que no te permite disfrutar de las cosas hasta que duermes dos o tres minutos o hasta que introduces algo, caliente o sólido, en el estómago.

Así lo hicimos. Al entrar en el bar, Xana, se colgó de mi brazo y subí los escalones que lo elevan sobre la acera con más ligereza de la que hubiese tenido en ocasión distinta. Su cara les resultaba conocida de la pantalla de la televisión y de mí sabían cuanto deseaban conocer. No les sorprendió la visita y, a juzgar por sus rostros, pudiera decirse que la agradecían. La situación era agradable, Ramiro, el dueño del bar, nos sonrió al acercarnos a la barra y se ofreció a servirnos sentados a una mesa. Aceptamos.

Al solicitar el pedido y posiblemente por haberlos visto sobre la barra pedí una ración de cacahuetes y un corto de cerveza de barril. Xana me miró sorprendida y se limitó a confirmar su café con leche; luego hizo algún comentario jocoso sobre la resistencia estomacal de cada uno, otro acerca de las propiedades de la vitamina E y, alguno más, relacionado con lo inapropiada hora que suele ser considerada la de las once de la mañana para beber cerveza. Lo curioso es que yo estaba alegre y divertido.

Cuando me ocupaba en abrir los cacahuetes (lo que pude hacer sin excesiva dificultad puesto que tenía una mañana poco, o nada, temblona) sentí sonar el teléfono inalámbrico dentro del bolsillo de mi pantalón. Lo cogí rápidamente y contesté sin levantarme de la mesa. Lo había metido en el bolsillo en previsión de que llamasen de Turín y en la confianza de que no llegaríamos a alejarnos dos kilómetros de casa. Hablé con ellos en italiano y observé las expresiones curiosas del resto de los clientes; curiosas y felices de su insospechado conocimiento de los idiomas extranjeros. Les dije que sí, que aceptaba, pero que, por favor, repitiesen la llamada dentro de media o de una hora para confirmársela definitivamente. Volví a guardar el microteléfono en el bolsillo y continué comiendo cacahuetes.

Al poco tiempo y a la vez que pedía otro corto de cerveza le dije a Xana:

—Era de Turín.

—Ya, ya. Ya me di cuenta.

—Quieren que vaya.

—¿Y qué les dijiste?

—Que sí. Les dije que sí. Te vienes conmigo.

Xana se quedó pensativa, yo también. La propuesta era tan deseada y cierta como imprevista, incluso para mí. La pronuncié impensadamente y no me arrepentí tan pronto como supuse. No me arrepentiré nunca de haberla hecho. Ella me contestó que sí.

—Quieren que dirija un concierto.

—Será un concierto maravilloso. Sin duda que iré.

—Será, sin duda, el último.

Salimos de allí al poco tiempo. Caminamos de regreso a casa y, cuando llegamos a ella, por el mismo lugar que había servido para que la abandonásemos, estaban los perros esperándonos. Xana había caminado a mi lado hasta entonces y, sólo en ese momento, se adelantó a mis pasos para poder acariciar a los cachorros y jugar con ellos.

Los contemplé pensativo, reflexionando sobre los dos compromisos que acababa de adquirir contra toda lógica, contra toda razón. Dirigir un concierto en mi situación podría resultar patético. Viajar a Turín acompañado de una mujer hermosa, estando como yo estaba, además de patético, podría resultar dramático, cuando no ridículo. Pero había aceptado el primero y propuesto el segundo. ¿De qué me asustaba, no era una de las últimas oportunidades que me depararía la vida de poder construir un universo sonoro, de poder edificar un mundo de sonido y construir así lo que más amaba? ¿Cuántas ocasiones me había deparado, esa misma vida, hasta ese momento, en las que poder tener a mi lado una mujer que consiguiese de mí la sonrisa permanente, por muy idiotizada que mi enfermedad la hiciese parecer?

Ya dentro de casa volvieron a repetir la llamada de Turín. Confirmé el programa y el viaje y ordené que reservasen una *suite* con dos habitaciones intercomunicadas entre sí. Luego le pregunté a Xana cómo se las arreglaría en su trabajo. Me dijo que no me preocupase y, ante la mirada expectante e interrogativa que debí de dirigirle, se sonrió para explicarme que no confundía nunca trabajo con placer, que aquél sería un viaje de placer y que no se le hubiera ocurrido nunca solicitar los días con ocasión del concierto y de un posible reportaje. Quedé tranquilo, pero también preocupado. ¿Qué debería entender yo por lo que entendía ella como un viaje de placer?

Capítulo séptimo

> *He aquí unos obstáculos recíprocos que*
> *producen una maravilla, como los vicios de*
> *los hombres, por la misma razón producen*
> *una virtud general, suficiente para que la es-*
> *pecie humana, a menudo odiosa en sus indi-*
> *viduos, no lo sea en conjunto.*
>
> MAURICE MAETERLINCK, *La vida de las*
> *abejas*, Libro Tercero, Cap. XX.

Ante el temor a los madrugones intempestivos decidí que el viaje fuese llevado lo más suavemente posible. Nos fuimos a Madrid primero, e hicimos el trayecto en avión; siempre me molestó el ferrocarril y preferí como norma general desplazarme en automóvil, parando donde me apeteciese, hasta que las autopistas vinieron a sacarme de la duda: desde entonces elegí la algarabía de los aeropuertos. Se trata de una algarabía ayuna de otros ruidos estentóreos que no sean los de los propios aviones. En general la gente no grita en ellos, se desplaza a toda prisa o permanece sentada en la cafetería con la contenida y urgente actitud de quien extrae un *sandwich* de su funda de plástico y lo engulle de forma precipitada y brusca, a intervalos, bebiendo intermitentemente por el morro de una botella que ostente la marca de algo conocido y muy publicitado.

Incluso apenas hay despedidas en los aeropuertos. Y es muy posible que la causa de ello sea el convencimiento que tienen, los que se quedan, de que llegarán antes a su destino los que se van, que ellos de retorno a sus hogares. En las estaciones de ferrocarril, la gente, todavía suele correr al lado del vagón, mientras el tren se pone en marcha, y permanecer estupefacta, viendo cómo se aleja, cuando ya consiguió una velocidad inalcanzable. Se trata fundamentalmente de actitudes motivadas por la estética y, a mí, la del ferrocarril no me gusta; prefiero sin duda alguna la de la urgente actividad aeroportuaria. Por eso el viaje fue decidido a través de los aeropuertos que, de salto en salto, nos permitiesen llegar a nuestro destino de forma placentera; pero planeado, al mismo tiempo, de forma que nos permitiese mantenernos ajenos a escaleras mecánicas utilizadas con un frenesí para el que yo ya no estoy, ni estuve nunca, excesivamente predispuesto; ayunos de cintas transportadoras que te ayuden en los largos desplazamientos por túneles o pasillos interminables.

Xana durmió en casa la víspera de partir y lo hizo en la estancia pensada para los huéspedes. Había congeniado con Paco y con Elisa y, los cuatro, celebramos el resultado de la prueba de la ranita (aunque el análisis positivo se hubiese realizado por procedimientos más científicamente ortodoxos), con una familiaridad que le permitimos compartir con nosotros; familiaridad que, día a día, y en pocos, había ido en aumento y que, al menos en ocasiones, conseguía causarme preocupación y ansiedad: a pesar de intentar comportarme con toda la prudencia y discreción del mundo, no podía evitar el pensar que aquel niño, iba a ser el hijo de mi primo; mi sobrino, por lo tanto; y ese hecho significase que sus padres adquiriesen, al menos para mí y en mi interior, una valoración que llevase a la familiaridad y de ella a la confianza; lo que podía conducirme a la confesión de un parentesco que ignoraban. Por eso me volví un ser cortés y afable con ellos, alguien simpático y afectivo en el trato, campechano de formas y sonriente con casi total habitualidad. Pero nada más que eso. Y no era poca cosa. Fue una magnífica velada.

A media mañana nos llevó Paco hasta Lavacolla y, a la hora de comer, estábamos cómodamente alojados en nuestro hotel madrileño. La Castellana dejaba fluir su tráfico al otro lado del cristal de la ventana y empecé a añorar el Palace. Había querido deslumbrar a Xana y no supe hacerlo, creí conocerla y me equivoqué de plano. Mi único pensamiento había sido el del lujo y el lujo lo había asimilado a lo más caro. Un error de anciano, lógicamente. La sola ventaja del «Villamagna» era la posibilidad de acceder a un taxi sin los agobios de una calle compartida con el común de los mortales; el resto estaba carente de la luz inimitable del patio central, de la pátina que sólo el tiempo proporciona y la serenidad ayuda a sedimentar. Sin embargo no llegué a deprimirme, me conformé con suspirar, decir «¡...Señor, ...Señor!» y proponer irnos con toda rapidez a comer en un buen restaurante. Acabaríamos por hacerlo.

No llegué a sentirme fatigado a pesar de que hice todo lo posible para acabar en tal estado. No hubo intimidad y, por la tarde, tuve que atender a la prensa, posar sonriendo con el director del hotel para que la foto pudiese ser lucida en la revista que se distribuía de forma gratuita por las habitaciones, y agradecer no sé cuántos cientos de buenas intenciones que, una detrás de otra, iban siendo manifestadas sin solución de continuidad. Nadie sabía de dónde venía, todos conocían mi destino y hablaban de mi entereza de ánimo con la convicción que da el hacerlo sobre alguien que se sabe que ya no va a molestar más en poco tiempo. La sociedad se purga a sí misma en la desgracia de alguien que, ella misma o el azar, escogen para inmolar en el ara de los sacrificios incruentos.

En ocasiones la purga se realiza sobre alguien que cayó, tropezó y se hizo daño, que simplemente resultó arañado por un espino que se ofrece, casi invisible, desde los alambres que festonean el camino. En ocasiones tales, el gallinero se alborota y, todos los miembros que lo componen, se lanzan sobre el herido hasta desintegrarlo a picotazos. Se trata de una actitud muy propia de bípedos plumes que ejecutan con mayor frecuencia los implumes; acaso porque las gallinas sean más listas y se lastimen menos, acaso porque los hombres son más gallinas y amigos de la crueldad gratuita y compartida de forma colectiva, el caso es que, como aquéllas, maltratan al herido hasta que lo defuncionan.

En otros momentos la purga es más benigna y parte de la conmiseración. En los anteriores es consecuencia cruel del odio o de la envidia, de los celos o de la incomprensión, ante alguien que se atrevió a hacer o a decir lo que, la mayoría, temió ni siquiera pensar u osó apenas intuir, más allá de la oscura frontera del deseo, porque decidió razonar en voz alta o asumir su propia realidad en una actitud que, a él o a los suyos, la historia le había hasta entonces vedado de forma tajante y categórica y, al hacerlo, se lesionó, o fue herido en el intento; porque las vallas, los muros o los espinos están para algo y es necesario y preciso que así suceda.

Pero otros momentos, si es que aquéllos pueden ser así, y lo son, también pueden ser consecuencia de la piedad que es posible llegar a sentir por quien padece un mal que, en razón de que es padecido por otro, nos aleja a nosotros mismos de su realidad y de su padecimiento en una inconsciente valoración estadística de lo que es el sufrimiento. Algo así como alegrarse, consciente o inconscientemente, de los accidentes aéreos porque, habiendo sucedido, hacen disminuir el número de los probables que pueden suceder en un próximo futuro. Y es en ese futuro próximo, en el que nosotros tenemos dispuesto un viaje.

¿Cuántos directores de orquestas sinfónicas pueden padecer Parkinson al mismo tiempo y dejar de dar la lata a corto plazo? Muy pocos en la historia de la música; luego, aquel al que le tocó la china, aleja el mal del resto de sus colegas y en él los demás exoneran sus culpas, purgan sus males, se liberan del miedo, ahuyentan la angustia.

Sólo la presencia de Xana me libró a mí de la abyección. Saberla a mi lado mientras iba constatando la amarga realidad del ser humano me permitía constatar la otra cara, la amable y deseada, del existir. La vida es eso, ciertamente; ponderar al poeta que escribió un solo y mediocre libro hace cuarenta años y convertirlo en un mito porque en él se ejemplifica la posibilidad de que todos los mediocres, aquellos que estén en situación de escribir poemas en calidad y cantidad semejante, puedan ser exaltados a los altares del culto y hacerlo de forma deliberada porque todos tienen derecho al paraíso y en él cabemos todos. Ponderar la igualdad sin descubrir nunca que lo que realmente se esconde detrás de esa palabra es otra más abyecta porque lo que realmente se busca es la semejanza: el hombre clónico y eso es fascismo: No somos iguales, nunca lo seremos. Tan sólo en el paraíso lo son las almas puras: semejantes en su estado, una igual a otra, un éxtasis igual a otro. Y así nos confundimos. Porque lo cierto es que todos tenemos derecho a sentir el cuerpo de una persona amada abrazado al nuestro cuando la angustia tira de tu alma, o el placer urge al gozo del contacto o la soledad lo llena todo de un silencio excesivo y agobiante que sólo el roce de unas manos pueden mitigar en su aspereza. Pero eso no es semejanza, eso es lo que nos hace iguales; como iguales nos hace el hambre y la necesidad de satisfacerla, y el dolor y la injusticia. Y eso no es igualdad, no es igualdad, eso es derecho a vivir. Así de sencillo.

Quizá esto sea así únicamente para aquellos seres que, como yo, tan sólo tienen pasado, ostentan un presente fugacísimo y carecen totalmente de futuro. Acaso deba ser así para quienes, como yo, Dios es la plenitud de los valores positivos del ser humano; porque ello implica el conocimiento de la apoteosis de los negativos, la consciencia de la barbarie.

No me atreví a proponerle a Xana que cenásemos en las habitaciones y no supe eludir la invitación a hacerlo en un restaurante de lujo, llevados por los amigos que siempre aparecen cuando, deseando verlos, preferirías saber de ellos y de su estado, a través de noticias llegadas por conductos más amenos que los de una presencia que distorsiona aquel deseo inconfesado. Salimos a cenar y llevé con corrección las alusiones a Xana, la observé a ella para constatar su estado de ánimo y me consolé viendo que permanecía inalterable y serena, sonriente y agradable, sabiendo escuchar en silencio aquello que intuía que debería dejar sin respuesta.

Cuando salió el tema recurrente de mi enfermedad y las caras de nuestros contertulios se distendieron, apaciguadas, en su expresión más placentera de conmiseración por el caído, Xana observó en silencio a todos, dejó que le brillasen los ojos y supe que yo también era observado por ella con la imprecisa mirada de quien atisba expectante un campo angular superior al que sus ojos le permiten, en tanto que le ayuda en el empeño algún sentido extraño en el que posiblemente radica la intuición.

Y odié la enfermedad y quise dirigir para ella como nunca nadie hubiese conducido una orquesta. Pero sabía que ya no sería posible.

Nos levantamos una vez que hubimos desayunado en nuestras habitaciones. Sentí a Xana moviéndose por la suya y me incorporé feliz de poder hacerlo cerca de ella. Un taxi nos llevó a Barajas y, un avión de Iberia, nos depositó en el aeropuerto de Linate, cerca de Milán. Allí estaban esperándonos con un coche. Había dormido bien y estaba rebosante de buen humor. No puedo decir que pletórico de facultades, pero sí que, la alternancia de estados de ánimo, tan propia del mal que porto como un estandarte, me había llevado a un día gozoso en el que, la contemplación, si no de la vida en su globalidad, sí del entorno que me circundaba en prácticamente toda ella, era placentera y grata. Me hallaba a mí mismo ocurrente de ideas y ágil de piernas, fuerte de brazos y deseoso de llevar yo mismo alguna de nuestras maletas. No quería desprenderme de una de ellas, en particular, en la que iba una batuta de madera de boj que había construido yo mismo, en el torno de mi lutería, sin saber que iba a ser utilizada en un concierto y tan sólo por el placer de estrenar la máquina y, a la vez, hacer prácticas manuales y de aprendizaje. Era algo tosca de formas, pero se me antojaba ligera de vuelo, sin que por ello dejara de sentirla en el cuenco de mi mano; la sabía de madera y tenía el valor de lo artesanal y de lo puro. Me parecía, incluso, un regalo hermoso para ofrecérselo a Xana, una vez finalizado el concierto, y me preguntaba cómo, en tan pocas horas, aquella mujer se había instalado en mi vida, ocupado mis sentimientos, llenado mis soledades. Me repetía monocorde-

139

mente que a mis soledades iba, puesto que de mis soledades venía, y no conseguía recordar ningún verso más de los del poema de Lope. Pero no me importaba; de una soledad a otra ¿qué hay? Probablemente lo mismo que de un sueño a otro; puesto que habitar en uno de ellos es espantar la soledad que lo precede y continúa. Soledades y sueños, he ahí la cadena del vivir humano. En la soledad sueñas, lo que realizado, espanta la soledad y, de paso en paso, vas agotando la capacidad de hacerlo. Luego el silencio.

La vejez, no sé si la enfermedad, porque no puedo disociar una idea de la otra, no soy capaz de no interrelacionarlas de una manera automática, me habían conducido a observar el mundo, es decir, la gente que lo habita a mi alrededor, tan sólo a través de mí mismo. Me daba, incluso me doy todavía cuenta de ello, porque, a lo mejor, aún no soy tan viejo como pienso que soy o tan viejo como me siento, respecto de Xana, o de Paco y también de Elisa. Y si eso es así, y probablemente lo sea, también me doy cuenta de ello y a la vez de que mi tío Álvaro, o incluso el dueño del «Bar El Paraíso», al tiempo que mis recuerdos, no son como son, sino que carecen de entidad propia y se definen a partir de mí mismo. Me doy cuenta de que todos ellos son a partir de mí. Nada más que a partir de mí.

La vejez es terrible, porque todo tiene que funcionar, todo tiene que gravitar a tu alrededor en órbitas por ti preestablecidas. Si no no vale; porque así es la vida. No es lo que Xana piense o sienta, es lo que yo necesito que piense o sienta Xana; mi pasado no es como realmente fue, sino más bien como yo necesito que haya sido. Y así todo. Nada tiene entidad fuera de mí mismo y todo existe porque yo lo hago y decido, a partir de mí, su existencia. Todo existe porque existo yo.

La idea de dejar de existir, de prescindir de todo lo que me rodea, ya me generó más angustia de la

140

que hoy me proporciona la consciencia de lo próximo de tal realidad. Dejaré de desear y de conmoverme hasta el sollozo en presencia de la belleza, en la proximidad de lo sublime. Esa ausencia de angustia va pareja con la presencia de un egolatrismo mayor del que jamás haya tenido. No sé si tengo ganas de compartir nada. Si decido que la batuta ha de ser para Xana, lo hago ignorando si a ella le ha de gustar tal obsequio, pero dando por sentado que así ha de ser puesto que al hacerlo me llenará de gozo. ¡Oh, la vejez, la dureza de sentimientos que comporta y, la ausencia de afectos, qué cadena de servidumbres trae consigo!

Veo el mundo tan sólo a través de mi único prisma, incapaz de colocarme en un lugar medianamente distante de mí mismo, y así me va. Pero soy feliz. Inconscientemente feliz porque me creo todo lo que me digo y todo lo conformo a mi medida, a mi propia medida. ¿No tiene el hombre la obsesión del «status homini» para organizar el espacio que lo rodea? ¿La ha perdido? ¿Ha perdido la medida del hombre? ¿Pues no he de tener yo la que ordene mi mundo interior y lo que en él habite? Así soy feliz y si Xana ha de tener mi batuta la tendrá y si yo he de soñar con ella soñaré y, mientras sueñe, será señal inequívoca de que estoy vivo y, en esa certeza, radicará mi consuelo; ya que no podrá hacerlo ningún otro, ningún otro consuelo, que no me sea posible y que ignoro ya si será un oscuro objeto de apetencia.

Hacía calor una vez en el aeropuerto de Linate. El vuelo fue tranquilo y tan sólo en un par de ocasiones el avión se agitó por causa de unas turbulencias. Nada de importancia. Todo sosegado y plácido. Si hubiese sido en un vuelo a Roma es muy probable que la gente hubiese cantado; que las parejas de recién casados, en el vuelo de regreso a su país, hubiesen acudido a la cabina a hacerse fotografías con el comandante de la nave; que hubiese sido aplaudido el aterrizaje e, incluso, que la gente hubiese comido algo que hubiesen extraído de las bolsas de viaje. Pero éste era un vuelo a Milán y allí la gente es seria de otro modo, establece otro tipo de distancias y, las relaciones táctiles, lo son por nexos más sutiles y llenos de ambigüedades.

Cuando salimos del avión, a través de uno de los largos pasillos tubulares que tan umbilicalmente unen a las aeronaves con el mundo terrestre, sentí un mareo, producto del bamboleo que la sincronización de las pisadas de los viajeros producen en las plataformas de ascenso y me cogí del brazo de Xana. En esa posición me cogieron los fotógrafos y no me molesté ni en rechazarlos, ni en adoptar ninguna otra actitud que no fuese la de la familiaridad bien entendida. Xana se sonrió y permaneció imperturbable y ajena, pronunciando por todo comentario un: «¡Quién lo diría!» que me dejó perplejo y en espera de mayores elocuencias. Pero fue en vano, no dijo nada más hasta que abandonamos la sala de recepción y recogida de maletas.

Alguien nos solicitó nuestros billetes y alguien se encargó de conseguir que nuestro equipaje llegase al coche antes de que lo hiciésemos nosotros; nos entretuvimos en la sala de autoridades, primero; en la sala de prensa, después; ocupados en atender a los periodistas durante un rato, no demasiado largo, en el que esperé inútilmente alguna pregunta relacionada con la presencia de Xana. Incluso llegó a molestarme en mi vanidad el hecho de que no se produjese ninguna. ¿Es que no les parecía lo suficientemente hermosa? ¿Acaso no podía ser algo más que una amiga reciente y desocupada? La gente es incomprensible en muchas de sus actitudes, pero yo disfrutaba de nuevo de la insufrible falta de privacidad que da el hacer en público el trabajo que otros hacen en privado, dueños del silencio en el que habitan. Señores de sí mismos.

Cuando subimos al coche, Xana no iba risueña y supongo que yo tampoco, incapaz de dominar el rostro impasible en el que, sin pausa ni piedad, se va convirtiendo mi cara. Espero que mis ojos delaten, hasta última hora, la vivacidad de mi espíritu y espero que, esa viveza, permanezca en mí hasta el último momento aunque sé que es muy probable que no suceda así. Si la demencia se ha de apoderar de mi mente deseo que se trate de una locura amena y constructiva, plena de imaginación; pero sé que es posible que resulte ser desintegradora y triste, tendente a la autodestrucción. Y eso para mí es terrible. De ahí que quiera disfrutar de todo, a todo encontrarle la plenitud de sus valores positivos y que quiera divinizarlo todo, pues sólo así todo será placentero y grato. Que nada, pues, se altere ni me altere. Que el éxtasis me domine; ya que sólo en la inacción, en el nirvana estático y divinizado, está la perfección del goce, la sensación última de la que, acaso, sólo el dolor te rescata.

Luego Xana iba sonriendo y yo también. En seguida accedimos a la autopista que nos llevaría a Turín. Según íbamos dejando atrás la Lombardía para acercarnos al Piamonte, iban apareciendo, de forma paulatina, los arrozales; era una sensación extraña la que se percibía al observarlos. Muy pocas horas antes el agua era gris o azul oscura y el verde se ahogaba a sí mismo en múltiples tonalidades; ahora el agua era plateada y el verde era tan sólo del color de la esmeralda y siempre liso y especular, siempre sereno y sosegado, mientras el cielo simplemente no estaba; tan dilatado puede ser el horizonte limitado por una cadena de montañas, la Alpina, que tiene nieve en sus techos.

Y sin embargo hacía calor. Mucho calor. El conductor del automóvil gesticulaba constante y repetitivamente; ponía la mano delante de la salida del aire acondicionado y, acto seguido, extendía la palma hacia arriba y la desplazaba hacia la derecha en un movimiento descendente y parabólico, del que, de forma tan fácil como rápida, se podía deducir que no entendía lo que estaba sucediendo.

Lo que pasaba era que no había manera de que funcionase el motor del maldito aire acondicionado. Reiteradamente, el conductor, manipulaba la palanquita del mando del aparato y volvía a poner la palma de su mano derecha en el mismo, idéntico, lugar en el que no hacía apenas nada que lo había hecho. Y vuelta a empezar. Así hasta la saciedad y sin que nadie se atreviese a iniciar el tema del fallo del aire acondicionado, como alegre tema de conversación; pero, en cambio, íbamos todos pendientes, de una forma obsesiva, del proceder de nuestro conductor que daba por sentado que, ninguno de nosotros, podía hablar en su lengua y no encontraba mejor manera de comunicarse con sus viajeros que la de hacer volar su mano como si fuese una mariposa.

Pasamos por encima de los puentes que nos hacían poco menos que sobrevolar los ríos o los cultivos de arroz de Galliate y Villebano, y que nos permitían dejar detrás de nosotros nombres que perdurarán siempre; nombres como Greggio o como Stura di Lanzo o como Dora Riparia; nombres de ríos que transcurren lentos y plácidos por entre islas de blancos cantos rodados sobre los que se posa la luz de una forma imposible de considerar en mi nueva tierra de Brión, y que preceden al nombre, total y definitivo, del Fiume Po, ya antes de llegar a la propia ciudad en la que lo nutren; en sus cercanías, luego de festonearlo, o después de haberlo penetrado, al llegar al Ponte Amedeo IX, para resurgir en el de Alberto Belgio.

Entramos por el Corso Giulio Cesare, una vez abandonada, sin trauma alguno, la autopista A4 para poder llegar prácticamente hasta el centro de

144

la ciudad sin tener que desviarnos. Y así fue hasta llegar a la Piazza della Repubblica que atravesamos sin pausa ni tregua semafórica, mientras que, desde distintos ángulos y, luego de un callejeo alegre y fácil, podíamos observar desde el coche, la Catedral, la Mole Antonelliana o la Porta Pallatina; porque ya habíamos pasado por la Piazza Castello o lo habíamos hecho por el Corso Emilia.

Era agradable poder ir haciendo pequeños alardes de erudición con la muchacha rubia al lado. Cuando dejé caer el pertinente comentario acerca de la Sábana Santa de la Catedral de Turín, pude observar su rostro atento, lo agudizado de su mirada, lo expectante de su actitud y no dejé de conmoverme. ¡¿Qué importará que sea verdadera o no la Santa Sábana, si induce miradas como la de Xana, si la gente opta por creer que sí lo es y si de ahí no hay quien la saque?! Ojalá sea verdad, ojalá sea cierto que envolvió el Santo Cuerpo de Jesús y ojalá sean ciertas todas aquellas otras creencias y todos cuantos ejemplos, hechos históricos o leyendas ayuden a que el ser humano sea mejor y más persona. Xana sonreía mientras yo hacía mi soflama de fe en la vida y, acaso también de esperanza, puestas en un futuro ciertamente no muy lejano.

Pero no creo que eso fuese todo; siempre pensé que no hay futuro; sino que el futuro es, única y exclusivamente, el presente que deseamos. Y si eso es cierto, si es cierto que el futuro es el presente que deseamos, estábamos en Turín y Xana, a mi lado, seguía sonriendo.

Desde la Piazza Castello pudimos ver, siguiendo la Via Po, la Piazza Vittorio Veneto y, a través del puente Vittorio Emanuele I, la Piazza di Gran Madre de Dio, la que algunos, dada su grandeza y desconocimiento de idiomas, llaman de la abuela de Dios, y también entonces pude hacer mi pequeño alarde.

De la Piazza Castello fuimos ya, festoneando calles, hasta la Via Carlo Alberto a un muy pequeño hotel al que yo tengo en gran aprecio. Cerca ya de nuevo de la Piazza Carignano, en el Grand Hotel Sitea, nos depositó el coche. Justo al final de todo empezó a funcionar el aire acondicionado y la expresividad manual de nuestro conductor experimentó un cambio que la aproximó a la dulzura del vuelo de la mariposa que se posa suavemente. Y no a otro.

Llegué sudoroso, pero ávido de recorrer la ciudad. Ordené subir los equipajes a las habitaciones y comenté con Xana que, lo mejor que podíamos hacer, sería irnos los dos solos a comer allí cerca a un restaurante que esperaba que no hubiese sido cerrado; pues malo sería que si permaneciera abierto desde 1757 fuese a coincidir, precisamente aquel día, con el de la fecha de su quiebra económica. Xana se reía, quiero creer que sin fingimiento, cada vez que yo decía alguna tontería semejante. Era cierto que estaba disfrutando. Los meses en Brión, en la serenidad de la Casa de la Santa, me habían devuelto la imprescindible curiosidad que nos lleva a reconocer lo sabido como recién descubierto e igualmente lleno de sorpresas. ¡Cómo se puede entusiasmar un viejo a la vista de lo perdurable!

Al lado del teatro Carignano está el «caffe ristorante del Cambio» y allí introduje a Xana mientras le explicaba que en aquel lugar se habían cambiado las monedas, durante años, de los que venían en la diligencia procedente de París y que, desde hacía más de doscientos años, era un restaurante hermoso y de buena cocina. Entramos al salón y, Xana, se quedó maravillada de las dos enormes lámparas que penden del techo, del silencio que se había posado en los enormes cortinones de tela roja o sobre los doseles del mismo color que festonean los espejos. Hice que se sentase a la mesa que hay, entrando a la derecha, luego de la puerta que comunica con otro comedor interior, acaso menos hermoso, en el mismo sitio en el que lo hizo, durante muchos años, Camilo Cavour. Yo me senté enfrente de ella, de forma que podía observarla placenteramente en los diferentes ángulos y perspectivas que le proporcionaban los espejos. Era una situación hermosa.

Habían tenido que pasar tantos años y tantas cosas para que, la nieta de quien cogió la mano muerta de mi padre, llegase a Turín, a comer en aquel sitio, que decidí encargar algo que, ambos, pudiésemos recordar. Realmente me excedí, pero en sus últimas consecuencias la comida resultó frugal. Fue un menú muy italiano en su concepción y servicio: «Insalata di fagiano al tartufo nero», «Fricasea di pesci e crostacei con asparagi», para empezar y poder seguir con «Ravioli di melanzane al pomodoro e basilisco» y luego ya un «Cosciotto d'agnello in salsa Grand Veneur» con «Giardinetto di legumi» y terminar con un postre a base de «Tulipasno di frutta con zabaglione» y «Caffè» lo que, indudablemente no es lo mismo que «Café» ¡qué le vamos a hacer! Todo ello regado en abundancia con un «Bianco dei Roeri 1989» y un «Nebbiolo selezione del Cambio 1988». Un menú largo y estrecho que se dice ahora.

Salimos de allí algo tarde, al menos para una mente italiana, pero quiero creer que felices, los dos, y satisfechos. La tarde era nuestra y ni se me ocurrió pensar que ella podría estar cansada. La suponía víctima de idéntica excitación que la mía, consciente de las muy pocas horas que hacía que habíamos abandonado Madrid y del cambio que nuestras vidas habían experimentado. ¡Cómo podría querer encerrarse en un hotel! Ni yo mismo me acordaba del verdadero motivo de nuestra estancia en Turín. Lo único que quería era recorrer sus calles, enseñarle a Xana los cafés que pueblan la ciudad y excitar su curiosidad con una lluvia de datos que, es indudable, le serían muy difíciles de retener, pero que a mí me facilitaban el placer que da el compartir aquello que posees. Y todo lo que yo poseí siempre, acaso lo único de lo que desde niño fui dueño, fueron sensaciones y datos, asentados sobre una memoria eminentemente gráfica que tuve que contener y someter a otra auditiva que siempre latió en mí bajo el síntoma de su necesidad.

Regresamos por la Via Carlo Alberto, torcimos a la derecha por la del Principe Amedeo, luego a la izquierda por la Via Roma y, desde debajo de los soportales, fuimos asomando de forma paulatina, a la contemplación de las iglesias de Santa Cristina y de San Carlos, al fondo la Porta Nuova, en la Piazza que lleva el nombre del santo de la segunda de las iglesias.

No era la hora más apropiada para sentarnos dentro del «Caffè San Carlo», pero hice que Xana curiosease en su interior, completamente vacío en aquel momento, que viese la enorme lámpara y la tenue claridad que invade todo aquel ámbito. Un camarero amable le regaló una colección de postales del recinto, finamente metidas en un sobre en el que, la hermosa araña de luz, figuraba troquelada como logotipo del café y luego nos sentamos en el exterior, debajo de los soportales, dispuestos a contemplar la plaza y el ir y venir de la gente a aquella hora.

Empecé a impacientarme en seguida. Por delante de nosotros, en un sentido y otro, circulaban grupos de jóvenes dispuestos a pasar la tarde, de un día que debía de ser festivo, caminando alrededor de la plaza o a lo largo de ésta y los soportales de la Via Roma. No era un espectáculo gratificante en extremo. En cada uno de los grupos y según su número de componentes, un muchacho o dos llevaban en su mano la radio desmontable de su automóvil. Jamás habíamos visto tal cantidad de radios desmontables. Xana se rió y comentó que debía de haber un tenderete de alquiler de radio-casetes desmontables, completamente vacío, en la esquina de alguna calle cercana a la plaza o en un portal oculto y oscuro o en algún otro lugar insospechado para que los jóvenes horteras pudieran ofrecer a la vista de sus cortejadas la equívoca existencia de un automóvil que todavía no tenía otra entidad que la meramente imaginativa.

No eran gente hermosa y quería asombrar a Xana sumergiéndola en las cosas bellas que yo conocía para que, a través de ellas, me admirase a mí. Sé que se trata de un intento pueril, pero también sé que, al menos en ocasiones, puede dar resultado. Es más que probable que yo minusvalorase a Xana, es posible, también que no me valorase a mí lo suficiente; pero el corazón de un hombre procede de maneras variopintas y curiosas y no hay por qué negarse a nada. O hay que negarse a todo. O hay que llevar un equilibrio. ¡Quién sabe! El caso es que la saqué de allí en cuanto pude. La llevé, en la misma plaza, al café Torino. Entramos dejando a la derecha el mostrador de cristal repleto de dulces y caramelos, mientras observábamos la hermosa escalera que semeja alzar el vuelo a través de la cristalera del fondo y, una vez en la zona interior, dimos vuelta de manera inopinada para Xana. Había querido sentarla, debajo de un retrato de Cesare Pavesse, a una mesa que estaba ocupada y, el descubrimiento de este hecho, me había devuelto una irascibilidad que creía haber perdido.

Salimos de allí apresuradamente y, una vez en la calle, lamenté no haber tenido la calma necesaria para habernos sentado en otro sitio. Por eso le mentí a Xana:

—Vamos a otro sitio más hermoso. Ya verás.

Y nos dirigimos de nuevo hacia la Piazza Castello. En la esquina que ésta hace con la Galería Subalpina, entramos en el Cafe Baratti-Milano y nos sentamos a una de las mesas que dan al interior de la

Galleria. Desde allí podíamos observar los escaparates de un comercio de alfombras, el blanco primer piso volando sobre el entresuelo, el nacimiento de la cristalera, o el mostrador de maderas nobles del propio café, según mirásemos a un lado o a otro. Pero hiciésemos lo que hiciésemos el sitio era acogedor y cálido.

Si tengo que reconocer la verdad, llegué allí exhausto, agotado y dominado ya por una ira que suele ir invadiéndome, poco a poco, hasta hacerme saltar, de forma irracional e intempestiva, sin que sea capaz de dominarme en modo alguno. Se trata de un malestar que ocupa, primero, mi frente; luego, el resto de la cabeza; una especie de zumbido o de fruncimiento muscular que genera ansiedad y excitación acumulativas y generadoras, a su vez, de un mayor malestar que acabo por descargar contra lo que más cerca de mí se halle. Ello implica unos cambios de humor que, al menos en su apariencia, ya que no en su gestación, surgen de forma brusca e inesperada que no suele hacer, precisamente, las delicias de los que me rodean. Sé que esto es así, pero soy incapaz de contenerme. Me arrepiento siempre, pero a destiempo, una vez que superé la crisis, cuando ya todo es irremediable y, si no lo es, se debe a la buena voluntad de los que están a mi lado, más que a ninguna otra razón. Cuando me invade la ira, no razono, agredo y puedo llegar a la insolencia y al insulto, al desprecio de quien tengo enfrente y al mayor grado de egolatría imaginable. Esto es así y bueno es que sea todavía capaz de racionalizarlo, de objetivarlo analizándolo como algo ajeno a mí. Sé que llegará un día en el que no seré ya capaz de hacerlo y temo ese día. Lo temo.

Cuando eso me sucede es más que probable que mi mano derecha, aquella con la que siempre empuñé la batuta, empiece a temblar, de manera incontenible; y así sucedió también cuando estábamos sentados a la mesa del Baratti-Milano. De forma tan instintiva como rápida, Xana cogió mi mano temblorosa entre las suyas, como ya lo había hecho en ocasiones anteriores. La posó sobre su propia palma izquierda y, con la derecha, llena de dulzura, se dedicó a acariciarme el dorso de la mía que descansaba ya, palma sobre palma. Se me humedecieron los ojos probablemente. Y justo en ese momento hubo quien nos sacó una fotografía. Una hermosa fotografía que salió en la prensa a la vuelta de una o dos semanas, acaso tan sólo de unos días, o de unas horas, quién sabe, ya ni lo recuerdo.

La fotografía, en cambio, sí la recuerdo perfectamente. Incluso hice intención de pedírsela al director de la revista y todavía no está descartado que lo haga un día de estos. En ella se nos puede ver a los dos, con el interior de la Subalpina al fondo, en medio de una luz dorada y cálida. El mantel amarillo de la mesa, la cortina de terciopelo dorado que hay detrás de mi cabeza, el fondo dorado de las alfombras que penden detrás de los escaparates de la tienda vecina, prestan y mezclan su luz con la blanca de la galería y, así, la porcelana del servicio de té es de una dorada blancura y la plata de las teteras tiene el color de un oro tenue y escasamente violento. Como nuestras manos. Como nuestras sonrisas y el brillo de nuestras miradas. Es una hermosa composición. Mi pelo gris parece más blanco, casi albo, y la rubia cabellera de Xana está pulida y sedosa como nunca lo hubiera parecido. Se nota la diferencia de edad, pero no desentonamos. Ni ella de mí, ni yo de ella, al menos así me lo parece y creo no mentirme.

Guardo el recorte y, también, guardo varios ejemplares de la revista aunque, en aquel momento, me irrité de una forma salvaje e intenté agredir al periodista. Debió de ser patético el ver cómo me abalancé sobre el desprevenido fotógrafo en medio de mis encontrados sentimientos y, probablemente,

151

como consecuencia de ellos. Era el primer instante realmente puro de mi vida. Nadie me había preguntado el por qué de que hubiese aceptado sin vacilación la oferta realizada desde Turín, ni la razón de que yo amase tanto aquella ciudad tendida al pie de los Alpes, acogida a la falda de la colina en la que se asienta el santuario de Santa María de Superga, contra cuya base se estrelló el avión repleto de los jugadores del equipo de fútbol turinés. Nadie había indagado nada.

Nunca se me conocieron amores, porque no los tuve. Mi vocación fue la música y a ella me dediqué. Sé que, en algunas ocasiones, se habló en términos peyorativos estableciendo parangones entre otros directores de orquesta y yo, realizando imaginativos nexos que conducían a suponer una homosexualidad discreta y digna muy bien llevada por mí. No es cierta esa suposición. Jamás me atrajeron los hombres. Sí en cambio las mujeres, y mucho. Pero jamás supe tratar con otras que no fuesen putas. Sólo traté con putas, sólo mantuve a putas y, las más de ellas, precisamente en Turín, a donde la casualidad me trajo, recién ordenado cura y recién llegado a Italia sin que nunca careciese del dinero indispensable para hacerlo y hacerlo bien. Cuando sentía necesidad de una mujer, acudía al pie de los Alpes y la hallaba; o bien clamé por ella desde donde me hallase y allí acudía para encontrarse conmigo en la discreta sombra de un pueblo vecino a la ciudad de mi esporádica residencia. ¡Siempre putas!

Llegué a sentir afecto por alguna de ellas, amor por ninguna. La música se lo llevaba todo.

Cuando sentí el ruido del flash tuve la consciencia de que me habían usurpado los únicos instantes íntegros de mi vida, en relación con las mujeres. Ahora estoy agradecido a aquel fotógrafo, pero entonces salté como una ballesta lo hubiese podido hacer.Sentí, de golpe, súbitamente y patentizada de de forma totalmente imprevista, inaguardada, la vaciedad de mi vida. ¡No dejaba nada de mí, nada de mí quedaría! Si acaso el recuerdo de la música interpretada y dirigida por mí, pero eso no es nada. Supe que ni un amor, ni un hijo, ni siquiera una composición musical dejarían recuerdo de mi paso y no soporté el dolor de tal reconocimiento. Por eso me debí de precipitar contra el pobre fotógrafo.

—¡Joaquín!

Gritó, pronunció mi nombre Xana y me frenó en mi loco frenesí de continuar abofeteando al impertinente que, sin haberlo pretendido, me había mostrado lo más duro de mi intransferible intimidad personal.

La foto fue publicada en los periódicos con motivo del concierto y en razón de ella misma. Tengo que reconocer que la prensa fue generosa conmigo, nadie hizo alusión alguna a mi condición de sacerdote. Creo que porque nadie la sabe o la recuerda, ya que si no el morbo hubiese sido completo. La publicación alejó a Xana de mi lado al ser presentada, en la revista, como el tardío amor del famoso y, al parecer, gravemente enfermo y retirado director de orquesta. Todo género de conjeturas fue establecido, todas las hipótesis sugeridas. ¿En dónde estaba? ¿A dónde y por qué me había retirado? ¿Era el amor, las ganas de disfrutar de la vida, lo que me había decidido a desaparecer? ¿Era la enfermedad? ¿Estaba realmente enfermo? ¿Era la joven rubia? ¿Quién era ella? La fotografía es ciertamente hermosa y yo aún espero que Xana regrese algún día.

Cuando se calmó la algarabía organizada por mi impulsividad incontrolada, pusieron un nuevo mantel que sustituyese al que yo había arrastrado detrás de mí, al levantarme bruscamente y con todo lo que tenía encima, pero ya no quisimos el té. Xana sonriendo pidió otra cosa y le sugerí unos pasteles y unos caramelos especialidad de la casa y muy famosos, por cierto. Aceptó y continuamos allí un buen rato, pero ya no volvió a retener mi mano entre las suyas; a pesar de que me entró una temblequera que tardó en desaparecer bastante tiempo. Se debió de sentir liberada de la hasta entonces irreprimible tendencia de los de su familia a retener entre sus manos las de la mía.

Creo que desde allí regresamos directamente al hotel. No lo recuerdo, pero debió de ser así. Todavía insistí en que recorriésemos la ciudad durante un rato e incluso debí de porfiar en que fuésemos al museo egipcio a ver momias y otras calamidades, pero no me hizo caso. Algo se había roto en el café y, a partir de aquel instante, todo serían componendas producto, si no de la buena educación sí, al menos, de la curiosidad por ver una ciudad que no se conocía y consecuencia de la inevitabilidad de tener que compartir un ambiente al que, de una forma habitual, muy poca gente tiene acceso, con la persona que te puede facilitar precisamente la entrada en él.

En realidad cuando pienso así es ahora. Aquéllos fueron otros días, distintos, en los que la ilusión me invadió de nuevo y las ganas de vivir me dolían hasta el gozo. Creía que de tanto desearlo y sólo con ello, era suficiente para que mi organismo se regenerara a la par que lo hacía mi mente. Tan ilusa es la voluntad del hombre que se entretiene con una mirada ajena, por muy dulce que ésta sea, y sospecha que la fe mueve montañas. ¡Ah, la voluntad del hombre! Cierto es que, gracias a ella, la humanidad avanza. Cierto es que lo hace hacia su propia destrucción. ¿A dónde, si no, se encamina?

Tesis, antítesis, síntesis. Ja. Como que la síntesis va a ser la desaparición de las clases, del estado, el paraíso marxiano en el que nadie oprima a nadie, nadie explote a nadie y todos seamos angelitos: la gloria eterna. Ésa va a ser, de forma exacta e ineludible, la conclusión a la que lleguemos; a la gloria eterna. Al fin de todo. A la gran apocalipsis. A la desintegración total. A eso, justamente.

154

Pero durante aquella tarde y durante algunas de las que le siguieron, diría incluso que durante alguna semana, o tan sólo durante unas horas, las que mediaron hasta que se publicó la fotografía que nos mostraba en la cariñosa actitud de estar cogidos de la mano y, acto seguido, Xana, desapareció discretamente; hasta entonces, hasta ese preciso instante, tuve la osadía de pensar que la música ya no era un refugio contra nada, que la música no era un arma contra nada y que, a última hora, pero todavía a tiempo, una mujer había entrado en mi vida.

Llegamos de regreso al hotel y fue cuando descubrí los cambios experimentados. Había querido ir allí, alojarme de nuevo en el Sitea, llevado de la mano de los recuerdos y con la dulce intención de poder retrotraerme emocionalmente a las escapadas, de curita rico y con posibles, que hacía desde Roma para hospedarme en él y asistir, desde aquel mi cuartel general de operaciones, a mis clandestinos encuentros con las putas en algún lugar vecino que la voluntad se niega a extraer de la memoria, porque permanece en ella dotado de total nitidez, adornado de toda la claridad que proporcionan los momentos gratos, desinhibidos, que en él pude vivir.

Abandonaba la ropa talar en el hotel romano, vecino del café Greco, el Hotel D'Inghilterra, y volaba, literalmente volaba, a Turín, a consumir el tiempo, repartido entre los cafés y las putas, entre las excursiones a los Alpes y las tardes placenteras olvidado en alguna taberna de aldea, oculta al pie de una langhe, al pie de una de las hermosas colinas que se extienden como olas de un apacible mar de fondo, de un apacible y verde mar tendido.

Todo esto se lo hubiese contado a Xana aquella tarde, de regreso en el hotel, o camino de él, de no haber surgido el flash fotográfico maldito. Pero no pudo ser así; llegamos y propuse quedar un momento en el bar que hay, al entrar en el vestíbulo a la derecha, pero el temor a nuevos periodistas lo impidió. Le sugerí a Xana que subiese ella, primero, que ya lo haría yo, después, y que dejase sin cerrar la puerta que comunicaba nuestras dos habitaciones. Podríamos ver la tele y cenar un *sandwich* juntos. Todo volvía a ser igual que antes y, sin embargo, todo había cambiado.

Me di cuenta en el preciso instante en que, un periodista emboscado en el vestíbulo, me abordó preguntándome:

—¿Qué me puede decir del concierto, maestro?

Porque yo no había ido allí por causa de ningún concierto. Sin saberlo, había acudido a enamorar a alguien a destiempo.

Me demoré un buen rato, queriendo granjearme la amistad y la benevolencia del periodista, con la muy interesada intención de contrapesar la violencia habida con su compañero gráfico no hacía mucho tiempo, y por disfrutar de nuevo de algo de lo que voluntariamente había prescindido durante los últimos meses. Cuando subí a la habitación, me había excedido en el consumo de whisky; llamé, con suavidad y con una picardía de formas absolutamente senil y ridícula, en la puerta de Xana; pero Xana se había dormido. Me dirigí a mi cama, encendí el televisor, me tumbé vestido y, viendo no sé qué programa de televisión, me quedé profundamente dormido.

Capítulo octavo

> *Sí, si se quiere, eso es triste, como todo es triste en la Naturaleza cuando se lo mira de cerca. Sucederá así mientras no sepamos su secreto o si tiene alguno. Y si algún día averiguamos que no tiene ninguno o el que tiene es horrible, entonces nacerán otros deberes que quizá aún no tienen nombre. Mientras tanto, que nuestro corazón repita si quiere: «Eso es triste», pero que nuestra razón se contente con decir: «Eso es así».*
>
> MAURICE MAETERLINCK, *La vida de las abejas*, Libro Tercero, Cap. XXIV.

No me desperté temprano, ni mucho menos. Sospecho que, a mi edad, debiera de haberlo hecho y que, aun por encima, debiera de haberme despertado de buen humor, ligero de ánimo, feliz de ver un día más; pero no suele sucederme ser así. Duermo mucho; mucho y de forma muy pesada, de manera que acostumbro a despertarme malhumorado y con unas ganas, algo más que sublimes, de gruñir y de

157

deleitarme en mis propios gruñidos en lo que, al menos para mí, significa una de las más peculiares expresiones del sentido del humor que me domina. Nadie me lo creería, de poder explicárselo, pero lo cierto es que me divierte el comportarme así, cuando me dejo invadir, sin prevención de ningún tipo, por el placer de observar los ojos atónitos de quienes me contemplan, recién levantado de la cama, apenas entreabiertos los párpados, hasta aproximadamente la hora de comer o, justo antes, de tomarme un aperitivo. Durante ese tiempo gruño y disfruto haciéndolo, creando tensión innecesaria en quienes tienen la desgracia de permanecer cerca de mí, mientras me debato entre el malhumor y el goce de saber que, a mis años, disfruto de la cama, de no menos de ocho horas de sueño y que, gracias a eso y a pesar del mal que me consume, me mantengo todavía joven.

Me incorporé e instintivamente busqué el olor de Xana como si, desde mi habitación, pudiese ventearlo de igual modo que un perdiguero lo hace con su presa. Me apoyé sobre mi codo derecho y permanecí con la cabeza levantada, manteniendo la nariz en la orientación de la puerta que comunicaba mi cuarto con el suyo, mientras imaginaba los olores que le serían propios, agridulces los más, tibios casi todos a esta hora de la mañana. ¿Permanecería aún en el lecho? Consulté el reloj y deduje que difícilmente; por eso me levanté con alguna precipitación, pero no con la necesaria como para haber eludido el sonar del teléfono mientras me duchaba: llevaban esperándome tiempo más que suficiente como para estar hartos de hacerlo y preocupados de tener que continuar haciéndolo: la orquesta me esperaba para mi primer ensayo con ella.

Desperté por fin a la realidad. ¿Por qué había aceptado dirigir aquel concierto, después de haber decidido no volver a dirigir ninguna orquesta durante el resto de mis días? ¡Y yo qué sé! Posiblemente porque me guste el hacerlo y porque en ello ha consistido mi vida durante casi toda mi existencia; acaso porque estaba Xana delante y el inconsciente suele gastarnos jugarretas de ese tipo; quién sabe si porque se trataba de hacerlo en Turín y ello me permitía recobrar gran parte de mi pasado más plácido y lleno de esperanza.

El caso es que acepté y allí estaba, en la habitación más noble del Gran Hotel Sitea, esperando ser conducido de nuevo delante de decenas y decenas de maestros músicos que me esperaban con curiosidad e impaciencia, con rencor por mi tardanza e indulgencia hacia mi estado, mientras yo temblaba, como un novato y no sólo de emoción, sino también de Parkinson.

Bajé y, en la conserjería, pregunté si Xana había bajado ya. El conserje se volvió para comprobar en el casillero si estaba depositada la llave de la habitación de ella y, al observar que sí lo estaba y que había una nota en el mío, me alargó el papel; al tiempo que me respondía que debía de haber salido o bien encontrarse en la cafetería. Hacia ella me fui, mientras desdoblaba el papel para poder leerlo.

La nota decía que iba a dar una vuelta y que nos veríamos a la hora de comer en el vestíbulo del hotel. Terminaba enviándome, ya que no dándome, un beso y no pude evitar el sentirme feliz con el envío, sonriente en la expresión, esperanzado e inconsciente como un colegial. Luego me dirigí hacia la gente que me estaba esperando.

Y dimos un paseo. Comprendo que es absurdo no coger un taxi o no haber dispuesto previamente de un coche que me llevase hasta el teatro, máxime si se trata de un día lluvioso y de un anciano y enfermo director, pero tengo que reconocer que me apeteció caminar el breve tramo que separa el hotel de la Piazza Castello en la que, en su lado oriental, se encuentra el teatro Regio. Ni siquiera habían dispuesto de un paraguas, pero en mi retraso hallaron su disculpa: había amanecido con un sol radiante y nadie hubiera supuesto aquella llovizna invadiendo la mañana de forma tan insólita; por eso pude disfrutar del contacto de la tibia agua de la lluvia sobre mi rostro durante el tiempo justo como para que no acabase por resultar molesto y necesario para calmar mi nerviosismo. Iba a enfrentarme, acaso o ciertamente por última vez en mi vida, con una orquesta sinfónica e iba a hacerlo en la ciudad que, si no era la que más amaba, era, al menos, en la que más había amado; aunque fuese a tanto la hora y libre de mayores compromisos que los estrictamente derivados de una transacción comercial realizada en un país de economía libre de mercado.

Y sin embargo no podía dejar de sentir cierta añoranza mientras caminaba. No era envidia con efecto retroactivo lo que sentía hacia los conspicuos varones que, durante toda su vida, habían visto ocupado su lecho por una compañera que, de entre las greñas ubicadas encima de un camisón generalmente ridículo, dejaban escapar lamentos definitorios de un desaire evidenciador de todo, incluso de desprecio, antes que de ternura: «¡Me duele este lado de la cabeza, a cualquiera que le suceda esto le puede asaltar la muerte en caso de que se insista en el débito conyugal, cariño!». ¡Cómo iba a sentir envidia de ellos! Por muchísimo menos dinero ocupé yo otros lechos o incluso el mío, desde mi juventud turinesa, con mujeres que me mentían amor y gozo sin atarme a las greñas y al camisón, al pijama de lunarcitos o a los rulos atroces que precedían a los períodos de greñas escasamente concupiscentes. No sentía envidia, pero sí me habían invadido la tristeza y la melancolía, cogidas de la mano, para alentarme hacia alguno de los estereotipos en contra de los que, yo mismo, había predicado en tiempos. Xana había abandonado el hotel a primera hora de la mañana, estaría de compras por la Via Roma o aledaños y, nostalgia y ternura, se daban también la mano para conturbar mi ánimo.

¿Qué será lo que lleva al hombre a desear la continuidad del fluir de su sangre en cuerpos nacidos del suyo; porque seguro que no es la razón quien empuja la vehemencia del deseo? Estás solo cuando, por la noche, te invade la angustia y es fácilmente imaginable que, la presencia de una mujer en tu lecho, no sea suficiente para alejarla de ti. La llamarás, gimiendo de terror, y se dará la vuelta, de forma enérgica, mientras cualquier improperio surge de su boca; y te sentirás ridículo. Temerás a la muerte y su vacío te causará vértigo y el licor te acompañará de mejor grado y con más efectividad que la femenina mano de la esposa causándote un sosiego del que ella carece; porque son las tres de la mañana y estás histérico y mejor es que te zurzan o que te vayas a un psiquiatra o mejor, todavía, a un sacerdote que te libere de las extrañas culpas que te ocupan.

¡Oh, las hermosas noches con las putas! El placer de los cuerpos que gimen juntos y sudan y se agitan, sabiendo que nada ata y que esa noche no habrá angustia, es el único privilegio del que el ser humano dispone en virtud de su esfuerzo y su trabajo. En Turín las amé a todas, llegadas de todas partes, para olvidarlas y recobrar acaso su memoria, la de sus cuerpos, en el extraño y coincidente gesto de otra, en algún tic, acaso en la cadencia de un ritmo oceánico y lunar que conducía al gozo de forma indefectible.

No me valió nunca la posibilidad de amar a las más jóvenes miembros de las orquestas o de los conservatorios. Cuando me equivoqué y no supe resistirme a ello —ya se sabe que pene enhiesto no cree en Dios— vislumbré el compromiso y el fracaso, pues acaso el gozo no sea compañero del amor, y

161

supe retirarme a tiempo. Para amar hay que darse y yo no supe nunca entregarme, sino tan sólo recibir; y no supe más que recibir aquello alejado de todo displacer. ¿Será mi enfermedad el castigo a mis pecados?

Y Xana estaba allí, caminando por la «Torino sabauda», ajena a mí y a mi ensayo, alejada de mí y de mis preocupaciones, ignorante de que me gustaría sementar un hijo en ella, en su cuerpo seguramente hermoso, para que por las venas de ese hijo fluyese mi sangre renovada.

Entré en el teatro Regio sin darme cuenta de que mi memoria me engañaba, haciendo persistir en mí imágenes que ya sólo son posibles en las memorias o en las fotografías antiguas, y algo aliviadas del color inicial con el que nacieron a luz y que yo había visto en innúmeras ocasiones. Es curioso como la memoria, a fuerza de haber visto espacios semejantes o idénticamente dispuestos, acaba por confundir la visión de lo real con la de lo dibujado o visto en imágenes producidas por la cámara fotográfica o por el pincel guiado por la voluntad del hombre. Y así iba yo, pensando en el espacio ocupado y distribuido por Alfieri en una sala circular, con seis órdenes de palcos y hermosas cariátides escrutándolo todo entero, atentas a los ecos antiguos del *Manon Lescaut* o de *La Bohéme*, sin acordarme de que, ese espacio y esos ecos ya nunca más serían posibles. Mi mente iba llena del recuerdo del Regio que no llegué a conocer nunca y me costó adaptarme a aquella cascada de estalactitas derramándose sobre un espacio no sé si falsamente futurista, si pretendidamente claustral o uterino, ¡quién lo sabe!

La sala estaba iluminada y vacía y su silencio me hizo daño; un daño que sólo fue mitigado por el ruido que hicieron los arcos tensos al ser batidos contra las cuerdas de los instrumentos, por los músicos que me esperaban sobre el escenario. Yo no había querido ensayar en la sala pequeña, en la del «Piccolo

Regio», y los arcos, sostenidos por los maestros hartos de esperar por mí y de considerar el cansancio de mis años, batían rítmicamente descubriéndome, al hacerlo, el valor de unas condiciones acústicas que había deseado conocer. Y también el del número de mis años y del cansancio que, con ellos, traen: tantos y suficientes como para haberme ayudado a olvidar en el hotel la batuta de madera de boj tan amorosamente construida por mí en mi casa de Brión, en mi Casa de la Santa.

Apenas hice otra cosa que subirme a la tarima, inclinarme parsimoniosa y temblequeantemente; sonreír y agradecer los aplausos además de disculpar la tardanza producto de la estupidez de un viejo y de la desazón del ánimo; lo que de forma harto curiosa les hizo reír complacidos y atentos.

Luego les expliqué, mal que bien, lo que esperaba de ellos y lo que entendía como una interpretación correcta de lo que se esperaba de nosotros. Pero en ningún momento hice alusión alguna a mi enfermedad; en ningún otro al homenaje que la ciudad pretendía rendirme, ni a lo ya muy avanzado del número de mis años. Creo que me lo agradecieron.

Decidí que volvería a ensayar por la tarde y consideré que, con un ensayo más, el del día siguiente por la mañana, ya estaríamos en condiciones de afrontar el concierto. Maldita la falta que les hacía, a aquellos profesionales, que yo les dijese por dónde debían de ir y cuáles deberían ser sus intenciones interpretativas.

Un director no es un marcador de compás, ni mucho menos; está al frente de la orquesta tan sólo para conformar el sentimiento de muchos y fundirlo en uno solo que es el suyo propio. Y no es poco. Cuando esos sentimientos se aúnan, cuando la armonía mana, surge el milagro y, quien lo contemple, puede llegar al sollozo o al silente fluir de las lágrimas. Si los sentimientos de autor, orquesta, director y espectador llegan a ser el mismo, si eso llega a suceder, el tiempo entonces se detiene y el universo mundo queda pendiente de una nota, acaso de un silencio, quizá de un crescendo que galopa el aire como una estampida de alientos largamente contenidos. ¡Ah, la música! Es el agua vivificante que todo lo envuelve; es la frescura que la abstracción propone y, en ella, todo queda suspendido.

¿Qué pensar del hermoso y maternal claustro para mil ochocientas personas en el que se había dispuesto que se celebrase una despedida más, acaso la última? Quien entre en él, y lo observe en su desnudez, sabrá de la cascada de luz que envuelve un escenario listo para que la música lo penetre, inundándolo; para que surja, brote de él, parida a la par que el gozo, y siembre el éxtasis sobre el rojo nada tenue del terciopelo que todo lo recubre; y luego se apague, consumida y sin ecos, en la diafanidad más individualizada que la música haya conseguido jamás. Volví a pasar por él, por el claustral ámbito del Teatro Regio, de regreso del Piccolo Regio, y valoré la inconsciencia que nos lleva a aceptar proposiciones que, nuestra más mínima reflexión, nos obligaría a rechazar. Pero debe de existir una ley no escrita, apenas sabida, que algunos llegan a intuir y no se atreven a formular, inundados de espanto o de impotencia, que nos obliga a hacer cosas que nunca ocuparon el área de nuestros deseos más profundos.

De repente brota la necesidad de hacer o de eludir, de sentir o de necesitar la sencillez de una huida y de proyectarla hacia una dirección que no te ofrece más que la intuición de una luz diáfana, realizada con el más indispensable bagaje que nunca pudiste imaginar: tú mismo. Y entonces huyes y regresas enseguida con la mirada atónita del que descubre, una vez más, que, a la vuelta de todo está la nada y que no hay ninguna luz. Por eso aceptas la música. Al regreso de ella, no hay nada. Nada queda, porque todo fluye en ese río interminable.

Tenía nuevamente necesidad de andar. Había cesado de llover y, otra vez más, el efecto Fohn dejaba sentir el peso del aire caliente sobre nuestros organismos. A pesar de ello yo quería andar; quería recorrer las calles que habían sido, y eran, objeto de mi devoción más asentada. Creo que me lo agradecieron los fotógrafos.

Con la disculpa de volver a ver de cerca la Mole Antonelliana, caminamos buscando la Vía Rossini, para pasar por delante del Teatro Gobetti y torcer al llegar a la Via Ferrari. Cuando llegamos a la Mole, los fotógrafos que nos acompañaban se empeñaron en obtener los escorzos más pretendidamente insólitos, aquellos que, a la postre, resultan de una habitualidad incluso grosera. Tan sólo uno de ellos perseguía mi rostro a la altura que le era común y necesaria para desnudarlo de toda la nostalgia que lo recubre. No vi las fotografías que resultaron de su búsqueda y prefiero ignorarlas. Prefiero no saber de la inexpresividad de mi rostro, de lo apagado de mi mirada, por si, en ese momento, no soy capaz de recordar los pensamientos que ocupaban mi mente en el justo instante en el que el fotógrafo disparó el objetivo en la caza de mi imagen, sobre la que seguramente se estaba posando la luz gris y alba que descendía de la Mole.

¿Se me estaría poniendo cara de mastín? Sabido es que los perros adoptan las expresiones de sus amos y que, éstos, acaban por parecerse, en alguna medida, a sus animales. Si es así espero que mi cara inexpresiva resulte, al menos, dulce y que, mi mirada, sea serena. De regreso de la Mole, camino de una imposible visita al Auditorio de la RAI, me sentí fuerte y sereno, como Yakin y Boaz pudieron serlo, por primera vez en muchos días y recordé lo avanzado de la hora, lo tarde que ya era para realizar una comida. ¿Qué habría sido de Xana? Decidí que mejor sería no preocuparme más de ella, al fin y al cabo nada me ataba, ningún tipo de obligación me debía preocupar y mi mente debía de empezar, definitivamente, a preocuparse tan sólo del concierto que me había llevado a Turín.

No pudimos visitar el Auditorio y me quedé sin cumplir mi capricho de recuperar todos los ámbitos que me eran propios, por lo que protesté mi hambre y nos fuimos a comer, a orillas del Po, en el Ristorante S. Giorgio, un plato de «agnolotti alla piemontese» y «un carré di sanato allo spiedo», poca cosa. «Bounêt» de postre, café y regreso al ensayo.

Apenas ensayé, eso es lo cierto, no porque me fatigase, ¡qué va!, sino más bien en razón del pánico que me invadía y en el que preferí no pensar. Temía incluso el racionalizarlo y supuse que lo más conveniente y confortable sería la ignorancia. Como pude, les di las gracias a los músicos; los alabé cuanto se me ocurrió, para engatusarlos y poder conseguir de ellos todo lo que sabía que no podría obtener gracias a mis gestos; y, así, estuve hablándoles, durante un largo rato, acerca de todo lo que se me vino a la cabeza referente al concierto que abría el programa y a la sinfonía que lo cerraba. También les hablé de mí mismo, de mi enfermedad, pero sin aludir directamente a ella, sin llamarla nunca por su nombre, llevado de un falso pudor que causó muy buen efecto y que enlacé con un largo excurso sobre la música que me emocionó como a un viejo chocho y provocó una ovación; tan cerrada que acabó por desarbolarme totalmente.

Mi propósito de ir a cabalgar en automóvil, una «langhe» detrás de otra, para empaparme de la especial serenidad que tiene el verde piamontés, se vio frustrado por mi larga permanencia en el teatro a lo largo de toda aquella tarde. Después de los aplausos, permanecí hablando con los músicos, dialogando con la prensa, atendiendo a los amigos que habían supuesto mi presencia allí y que, por ello, habían acudido a saludarme, acaso a darme el definitivo adiós.

Tengo que reconocer que, el espectáculo, fue bastante variopinto. Si el mundo de la música es, por sí solo, lo suficientemente heterogéneo y dispar, lleno de personas con una sensibilidad muy por encima de la considerada normal, con el ego algo más que desarrollado, y proclives, casi todos nosotros, a llamar constantemente la atención de una forma u otra, no es de extrañar lo florido del conjunto.

Allí estaban gentes que hablaban la especial jerga de la música; esa que, en ocasiones, no consiste más que en hablar arrastrando cadenciosamente las eses, al tiempo que se gesticula con las manos y todo es más muelle y dulce; allí las cabezas leonadas, agitándose convulsas y rítmicas, movidas por extraños resortes obtenidos a base de tics cuidadosamente elaborados y transmitidos a lo largo de generaciones; hasta el punto de que hay quien sospecha que no se debe ser músico, enteramente, si es que se carece de ellos; allí los lazos y las melenas blondas, los pelos tirantes resbalando hasta las nucas; allí estábamos todos. Pero yo notaba ausencias. Observaba a mi alrededor e intentaba recordar rostros que se habían esfumado, nombres que se habían diluido en el recuerdo.

Lo que había surgido como una reunión improvisada concluyó en una pequeña fiesta en la que, quien fuere el que la organizase, no rehuyó la convocatoria de gentes que para mí hubiesen sido algo. Poco a poco fueron llegando meretrices; algunas de ellas, las más finas prostitutas que habían visitado los más conspicuos salones; otras, escandalosas ruinas consumidas por las drogas, o por el alcohol, cuando no por la propia vejez que las había degradado hasta convertirlas en unas bellezas que, habiendo sido generosas, ahora resultaban patéticas y tristes. Creo que las besé a todas y que, con todas, bebí brindando por nosotros mismos, por el placer que nos habíamos dado, por la discreción de la que tanto alarde habíamos hecho y que no había servido para nada, o, al menos, había servido para que todos nos conociésemos y pudiésemos estar allí, convocados por no se sabía quién, ya que nadie reconocía haber recibido ninguna indicación para asistir a algo que, posiblemente, no fuese más que la respuesta a la llamada que suele hacer, en estos casos, lo que se acostumbra a llamar el espíritu de la colmena.

Cuando Xana apareció, supe que a quien había estado echando de menos era a Massimo; pero sabía que Massimo ya no podría venir, ya no estaba entre nosotros, que, el amigo, el consejero, había desaparecido para siempre. Y sentí angustia ante su ausencia definitiva. A Massimo me lo recordó, sin ella saberlo, la mirada ausente y curiosa de Xana, observándome, desde la distancia, mientras coqueteaba con aquellas viejas y decrépitas glorias, haciéndoles chistes y bromas que podrían llegar a parecer soeces, pero que no lo eran bajo ningún concepto. Algunas de ellas habían llegado acompañadas de sus pupilas e, incluso, alguna esporádica amante que tuve entre la gente que, de manera habitual, se considera decente, lo hizo haciéndose escoltar por hijas e hijos que levantaron, en mi conciencia, terribles y gratas sospechas que jamás tendrán comprobación; porque jamás sugeriré ninguna pregunta, ni admitiré ninguna insinuación que las confirme o las destruya. Pues no sabría vivir, a partir de entonces, con ninguna de las dos certezas. Y mientras, Xana, me observaba desde lejos.

La esperé pacientemente, pero no vino. Durante la espera, imaginé los comentarios que habrían de surgir, los chistes que se habrían de hacer e, incluso, la actitud de ella que, una vez llegada hasta mí, se habría de frotar contra mi cuerpo haciendo ver, a la integridad de aquel gineceo recobrado, que ella era la nueva favorita, la definitiva dueña de mi alma. Pero no acudió. La vi salir por la puerta, ajena a mi mirada, ajena a todo y llena de calma y parsimonia. Me acosté tarde aquel día y no miré en su habitación para comprobar si se había acostado. La puerta que comunicaba nuestros dos cuartos estaba cerrada y no la abrí, aunque deseé vehementemente hacerlo.

Lo cierto es que me acosté muy tarde y también con algo de mareo ocupando mi cerebro; a pesar de que no bebí con insistencia y sí, en cambio, de forma prudente y controlada; pero todo había sido demasiado intenso, todo había sucedido sin que lo esperase, en medida tal como para que no me hubiese afectado en absoluto.

Aquella noche añadí alguna pastilla a las habituales, algo que me relajase los músculos y que me permitiese dormir sin tensión, ajeno al día del concierto y ayuno de emociones o de sueños que disturbasen mi ánimo, apenas recobrado en la reunión del teatro. Creo que lo conseguí y lo cierto es que volví a despertarme tarde; pero la orquesta ya sabía que no iba a haber ningún otro ensayo, al menos en el que yo estuviese presente.

No sé si ensayaron ellos solos o si no lo hicieron. No lo pregunté. Desde el momento en el que me desperté no hice otra cosa más que intentar calmarme, sabiendo que era punto menos que imposible. Mi aspecto era sereno, pero mi cerebro era una caldera de vapor hirviendo a punto de estallar. Ni cuando dirigí mi primer concierto estuve tan nervioso, tan reflexivo acerca de lo que dirigir una orquesta sinfónica significa.

Dirigir es como respirar. Y respirar habrá veces en las que lo hagas con el vientre; y otras en las que sea la caja del pecho la que suba y baje, acompasadamente, para llenar de aire tu organismo; y siempre habrá un flujo y un reflujo oceánicos en los que la acción de respirar se resuma. Pues así también la dirección de una orquesta; ya que ese fluir y refluir es el que, a través de tus manos, quizá de una sola de ellas, acaso de las dos, es inducido en su movimiento. Y esto es así puesto que, la inmensa marea que es la música, viene de donde se fue, regresa de donde vino, y así sucede eternamente. Y si una mano contiene, otra es la que empuja ese vendaval que invade la consciencia y la transporta. Por eso no debe, una mano, imponer un crescendo por designio arbitrario; ni, otra, hacerlo con un solo ritardando; ni, ambas, conseguir un rubato por la fuerza. Por la fuerza de las manos.

¡Por la fuerza de las manos, Dios mío! ¿Cómo hacer eso, cómo hacer ni tan siquiera eso, con estas manos de las que no tengo, siempre, el dominio; el dominio necesario y preciso, para que mis disquisiciones puedan tener, a través de ellas, su justificación más elocuente? Yo sé muy bien que no llega con las manos, que son necesarios los ojos, que es imprescindible la libertad de la mirada, para que el milagro pueda ser apenas iniciado. Sé, de forma muy precisa, que se debe tener algo que decir, «cosas» para comunicar; no es suficiente con saber decirlas, sino que hay que poder decirlas y, para eso, es precisa su posesión, su conocimiento. Por eso no desconozco que no llega sólo con tener oficio; como también sé que, si el oficio está ausente por alguna razón, o en alguna medida, no hay que echarlo de menos de una manera total. Pues si con él solo no basta; sin él se puede llegar también a la frontera del milagro, ya que nada es exacto, nada es definitivo y todo está en la frontera de todo.

Por eso yo estaba nervioso y preocupado. Sabía que nunca más se produciría el pasmo; pero quería llegar, al menos, hasta su orilla más diáfana, asentarme en ella y contemplar la luz que se irradia desde el otro e inaccesible lado. Abarcar así lo que va de

Tomás de Aquino a Duns Scotto. Aquél, te da el oficio, el tomismo de los años de educación en el seminario, tan imprescindible en mi formación; éste, te da la luz sobre la que asentar el oficio, cubriéndolo, tapándolo enteramente para que permanezca oculto y olvidado, mientras se deja asomar la verdad necesaria, incluso la verdad conveniente, en las que toda comunión es posible. Toda orquestación es realizable.

Y a partir de ahí diriges el mundo, organizas el cosmos armónico y equilibrado, aprendes de forma definitiva y concluyente que, el «regisseur» que la representación dramática exige, no tiene equivalente en la orquestada representación sinfónica, porque en ella la armonía fluye, pues en ella existen unas leyes inconculcables.

Y las leyes están ahí. Pero, a pesar de ellas, Schönberg nunca puede ser interpretado con igual cadencia, con igual tempo o con igual sentimiento que los que deben de ser seguidos y contemplados para con ellos mostrar a Stravinski. Y Křenek no ha de ser transcrito al ámbito de lo sonoro lo mismo que Hindemith, porque sus sentires tampoco lo son; como no lo son los de Busoni o Pfitzner, o los de Webern, o los de Kaminski, o los de Honegger, o los de Strauss... o los de tantos otros; porque por encima, o por debajo de esas leyes, fluyendo y refluyendo con plenitud oceánica y lunar, está la voluntad del hombre, el aliento que lo anima, el hálito que lo conturba.

¿A qué suena o a qué debe sonar la Flauta Mágica de Mozart? Para nosotros es la expresión de lo sublime, al menos lo es para muchos, o para algunos de nosotros. Pero ¿es eso realmente así? o, por otra parte, de lo que en verdad, se trata es de los restos del naufragio que, la marea de la Historia, aquella que refluye con el tiempo y se llevó consigo los ideales de los nuevos burgueses, encarnados en la francmasonería, depositó en alguna de las playas de nuestra

171

orilla oscura. Y estos ideales ¿eran sublimes o simplemente confortables?

Acaso la música sea lo indescifrable y eso, precisa y aunque no exclusivamente, sea lo que nos conmueve. Quizá la conmoción lo sea en el instante de encarnar, de interpretar lo confortable o lo plácido, lo abrupto o lo solemne, y trasladarlo a sonidos armoniosos; acaso sea así, porque lo que puede cambiar con la marea de la Historia, lo que con ella va y viene, sea únicamente la expresión de los sentimientos, su traducción en símbolos; pero no los sentimientos, no el hombre que los transporta, precisamente, a través de esa Historia que construye, de forma inconsciente, en su expresión colectiva; y, consciente y deliberadamente, en lo que atañe a los individuos que saben, en carne propia, porque así fueron nacidos a la vida, del valor de un sollozo levantado por la angustia. Acaso Beethoven entre ellos.

De ese sollozo, cuando surge encarnado en alguien como el Sordo, nace, al menos en ocasiones, la voz colectiva que nos ampara a todos; así en el «Concerto», en sol mayor para violín, por él escrito, en sus momentos sucesivos, se condensa la expresión de esa tortura, evidenciada entre el afán de salvarse uno mismo —de afirmarse, incluso, a costa de los otros— y la necesidad de que sea la especie, la colectividad, la que se salve del naufragio. ¿Quién posee el espíritu de la colmena? ¿Quién es la abeja reina y quién tan sólo, ¿tan sólo?, Maurice Maeterlinck? ¿Somos todos Maurice Maeterlinck?

Y esa pugna también está establecida en el «Allegretto» de la Séptima Sinfonía, como está en todos nosotros aunque sólo algunos lo sepamos.

Yo soy de los que lo sabe. Por eso temía la hora de comienzo del concierto, la del inicio de la interpretación de esas obras, del «Concerto» y del «Allegretto» en mi concierto de homenaje, a pesar de no ignorar que, la orquesta, respondería por mí y de mis limitaciones. Tenía la certeza de que la música llenaría todo aquel ámbito ocupándolo en sus últimos y más recónditos rincones. Pero no era eso. No era suficiente con eso. Necesitaba que todos los músicos supiesen lo que yo sabía, lo que yo sé, y eso no siempre es así, no siempre es posible. Por eso, más que nunca, precisaba ser dueño de mis ademanes, de mis gestos, para empezar a andar sobre los primeros acordes y poder hacerlo con el único objeto de encaminar la accesis por el sendero correcto, por la vía que sigue a la purgativa y continúa por la iluminativa hasta llegar, en ocasiones y porque el milagro se produce, el don gratuito se realiza, a la unión del espíritu de la colmena con la corporeidad que nos contiene y delimita. Necesitaba aproximar la orquesta hasta la orilla oscura de la luz y, una vez allí, dejarla abandonada a su aire, al aire de su vuelo, como los místicos quedaban, en la soledad sonora establecidos. Ya que el verbo hecho música habitaba entre ellos y, a través de ellos, en nosotros. Nada menos, carajo.

Necesitaba llegar allí y precisaba tener el contenido y preciso dominio de mis gestos para poder indicar el curso métrico de la obra y dejar expuesta, a la vista de toda la orquesta, su mayor fuerza expresiva; aquella que es generadora de la forma; aquella que ha de conformar el ámbito que, por una sola vez, todos habitamos mientras el concierto dura, mientras la huidiza sonoridad, esa única realidad de la obra musical, permanece en la cuenca de nuestras manos, escurriéndose como agua entre los dedos. Licuar el aire en el que la música suena y dejar que ese agua nos recubra los sentidos, incluso y de ser posible, también los cuerpos; eso es lo que yo quería hacer en la huidiza sonoridad de mi último concierto; para ello necesitaba mi dominio del gesto. Y no lo tenía.

173

La sala estaba atestada de gente. La salida de la orquesta fue aplaudida de forma estentórea y cuando yo salí, cuando yo salí... ¡ah, cuando yo salí!... desfallecí de tal modo que ni fuerzas me quedaron para poder sollozar a gusto. Tan sólo mi garganta estrangulada existía en mi cuerpo.

Mientras caminaba hacia la tarima, iba recordando el comienzo de la partitura, intentando visualizar el golpe al aire que debía de dar para que diera comienzo a todo; el golpe al aire que expresase, sucinta y escuetamente, el valor metronímico del primer movimiento, el gesto de articulación al principio de la frase. ¿Cómo darlo, el golpe al aire, si mi mano torpona no me respondía?

Apresaba en ella la batuta de madera de boj y la sabía dispuesta a establecer su punto de partida, una vez elevada hasta la altura de mi espalda, extendido mi brazo hacia adelante en la mitad de su longitud. ¿Me temblaría entonces? ¿Serviría el temblor para que la orquesta empezase a andar por senderos que no deberían ser nunca transcurridos? ¡Dios, cómo me temblaba el corazón!

Agradecí los aplausos, agradecí a la orquesta su simpatía, me dispuse a iniciar el concierto, a dar el primer golpe al aire. Se hizo el silencio.

Entonces me volví. Me acordé de Massimo y me volví hacia el público. Los músicos de la orquesta permanecieron en la expectante posición que precede al nacimiento del sonido. El público guardó silencio y, con toda la voz que fui capaz de acumular en mi pecho, dije:

— Massimo Mila, in memoriam.

Y me volví de nuevo hacia la orquesta. No hay nada mejor que desviar el homenaje que se rinde a un moribundo hacia otro que dejó de serlo por óbito. Una ovación cerrada espantó todo el aire que ocupaba el recinto, nadie respiró entonces. Reteniendo la cuota de aliento que había permanecido en mi pecho, reteniéndola toda, llamé la atención de la orquesta. Según mis brazos se alzaron, se hizo un silencio repentino y seco, tenso, restallante y único. Y di el primer golpe al aire. Ningún temblor fue observable. Hubo uno, apenas perceptible, que sirvió para que la música fuese, a partir de él, una vibración tenue como un lamento interminable y dulce. Y dejé que la orquesta siguiese aquel camino.

Supe que la orquesta ya podía ir sola y me limité a dirigirla suavemente. Vi que mi mano derecha volaba, lejos de mí, ajena, dotada de entidad propia, sostenida en el aire sobre el sonido que, en capas sucesivas, se iba posando sobre la orquesta, sobre el patio de butacas, ascendiendo, hasta llenarlo todo. Y cuando todo estuvo lleno de música, cuando ya nada más cabía ni dentro, ni fuera de nosotros, supe que todo estaba suspendido y que, el fluir y el refluir, no eran perceptibles y que flotábamos en el cosmos, llevados de la armonía, suspendidos.

Y lloré. Lo hice en medio de sollozos que me atenazaban la garganta, produciéndome un dolor que me devolvió a la realidad. Cuando lo hice y fui consciente de lo que allí estaba sucediendo, bajé los brazos suavemente y consentí en que la orquesta continuase sola. Podía hacerlo. Para dirigirla bastaba con mi mirada llena de libertad, con mi cuerpo rítmica e imperceptiblemente convulso, acaso con las últimas lágrimas que fluían de mis ojos.

Me dieron ganas de manifestar el movimiento de una manera extrañamente ruidosa, de hacerlo con las divisiones del compás y de contar los tiempos en voz alta, marcándolos con golpes que asegurasen su cohesión y la perfecta unidad del movimiento. Quería la catarsis.

¿La tuve? ¿Tuve la catarsis? No lo sé. La verdad es que lo ignoro. El concierto siguió su curso normal, pero no recuerdo nada. Abandoné el Teatro Regio, en medio de los aplausos de quienes me esperaban a

175

la salida, llevado en volandas y, la verdad, es que medio levitando aún de resultas de lo acontecido. Algo debió de suceder en mi mente, no sé si en mi cerebro, durante el concierto. Algo que se rompió o que se configuró de otra manera porque, realmente, alguna catarsis debió de ocurrir aquella noche.

Lo que sé, pude leerlo en la prensa. Hablaban, escribían los comentaristas, con la vehemencia y el fervor que caracteriza a los melómanos; un fervor que les lleva a idolatrar a algunos músicos, sean cantantes, instrumentistas, directores o conjuntos.

Suelen expresar su idolatría con la escritura convulsa y con la voz desgarrada, en ocasiones histérica, que lleva a gritar los «¡bravo!», «¡bravo!» al final de los conciertos o a aplaudir, de forma frenética, durante minutos y minutos, prolongando en la atronadora salva de aplausos, el placer obtenido hasta muy poco antes; también a sustituirlo por el del dolor de las manos laceradas gracias al paroxístico batir de las palmas. Así somos los del mundo de la música. Tales convulsiones, tales alteraciones del ánimo, suele propiciar la contemplación de la belleza.

Decían los comentaristas que, era tal la fuerza que de mí emanaba, que, con sólo mi presencia, era más que suficiente para que una sinfónica supiese lo que debía hacer. Se expresaban con libertad y con generosidad que sólo es posible con alguien que ya no va a molestar más, con alguien que no va a poder agradecer, ni reprochar, lo que de él se diga. Con alguien que esté muerto. Se trataba de esa generosidad inane, que no genera nada y que odié siempre porque es inútil y casi siempre descomprometida. Porque nada vale, curiosamente. Sé que no me puedo quejar, que oí y leí en vida lo que otros no llegan nunca a leer o a oír, ya que sólo se dice de ellos una vez que desaparecieron. Y yo sé que, ni ellos, ni yo, tenemos vocación alguna de tubérculos, de patatas que necesitan ser enterradas para que, transcurrido el tiempo, se puedan adornar con flores.

Por eso odio la crítica elogiosa de quienes sólo saben referirla a los muertos o a los que llevan años sin dar frutos y no molestan, ni conturban, ni alteran nada, porque no se arriesgan a hacerlo y reciben elogios de badulaques como ellos que practican la ecuanimidad aisladamente con los muertos, los inanes o los débiles.

¿Sería ésa la crítica que se refería a mí? Es posible, yo ya estoy medio muerto; ya nunca más se le podrá reprochar, por mi culpa, a ningún crítico un elogio inmerecido o contradicho en virtud de una actuación posterior. Ya soy un mito y a pesar de que quisiese arriesgarme ya no tendré oportunidad de hacerlo. Esa evidencia fue la que hizo que algo dentro de mí se destruyese. Cuando me vine a vivir a Brión, tenía el ánimo dispuesto a la permanencia expectante de quien todavía aguardaba algo. Ahora sé que lo que estaba esperando fuese posiblemente el concierto en Turín, sin yo saberlo. Ahora ya no espero nada.

Me llevaron de vuelta al Hotel Sitea y todavía tuve que contemporizar con la gente que había acudido allí a felicitarme, a ver y a ser vistos, a participar en la liturgia inevitable y necesaria que permite que los relevos sean tomados, que a unas generaciones les sucedan otras, que unos nombres vengan a continuación de otros. Y todo hubo de ser presenciado por mí ya desde la otra orilla.

¿Y Xana? A Xana no la vi. En el Hotel no estaba cuando yo llegué, al acostarme todavía no había aparecido por su habitación. Tengo la vaga idea de que, una vez me hube acostado, en la agitada duermevela que precedió a mi sueño de aquel día, se acercó hasta mi cama, besó mi frente y acercó el embozo hasta cubrirme con él los hombros.

Cuando me desperté, tenía una nota de ella encima de mi mesilla de noche. Me comunicaba que nos veríamos ya a bordo del avión. Pensé que podría haber conocido a algún muchacho y, sorprendentemente, ninguna emoción conturbó mi ánimo. Era cierto que algo había sucedido en mi interior.

Nadie me preguntó por ella cuando salí del hotel, nadie lo hizo en el aeropuerto. Pero cuando me senté en el avión ella estaba sentada en el asiento próximo al mío y sonriéndome. Me felicitó por el éxito obtenido, comentó conmigo algunas de las referencias aparecidas en la prensa, pero no hizo ninguna alusión a dónde había ido ella, ni a qué había hecho, ni a ninguna otra cosa que me pudiera facilitar una idea que saciase mi curiosidad. Tampoco lo hizo respecto de las razones que la habían impulsado a obrar como lo hizo y a mí, aunque se me pasó por la cabeza, no se me ocurrió preguntarle nada. Ni siquiera cómo se las había arreglado para llegar hasta el aeropuerto de Milán o cómo había conseguido el asiento vecino al mío.

Al llegar a Madrid decidimos, a la vista de la gente que allí nos estaba esperando, que, en Lavacolla, habría demasiado alboroto organizado y que era preferible evitárnoslo llegando a Brión de la misma manera en que yo lo había hecho la primera vez. Por eso, sin salir de Barajas, alquilamos un coche sin chófer, cuando hubimos cancelado nuestro vuelo.

No tuve inconveniente en que fuese Xana quien sacase el coche de Madrid y en que, al llegar a la desviación que lleva hasta Segovia y puesto que ella no conocía la ciudad, nos acercásemos hasta ella.

Por eso llegamos a Brión al cabo de dos días y aunque nadie que no fuesen Elisa y Paco nos estaba esperando, ya todo el mundo tenía noticia de todo lo sucedido, de mi lugar de residencia e incluso la fotografía en el Baratti y Milano había sido ampliamente comentada.

Capítulo noveno

> *Es curioso ver que tantas cosas, tantos ór-*
> *ganos, tantas ideas, tantos deseos, tantos*
> *hábitos, todo un destino, se hallan así en*
> *suspenso, no en una simiente —esto sería el*
> *milagro ordinario de la planta, del animal y*
> *del hombre— sino en una sustancia extraña*
> *e inerte: en una gota de miel.*
>
> MAURICE MAETERLINCK, *La vida de las*
> *abejas,* Libro Cuarto.

Al llegar a Brión no había nadie esperándonos.
Cuando aparcamos el coche, delante de la casa, hicimos sonar el claxon de manera estrepitosa y oímos
ladrar a los perros; pero nadie salió a recibirnos. No
recuerdo si nos sorprendió o no el hecho de que no
hubiese nadie. Supongo que no. Veníamos los dos
muy cansados, yo más que ella, lógicamente, y decidimos dejar las maletas dentro del automóvil, en espera de que Paco las transportase, en cualquier otro
momento, al interior de la vivienda; mientras tanto
esperaríamos sentados en el salón, o lo haríamos pa-

seando por la finca, a que Elisa y Paco regresasen. Reconozco que fue una estratagema, tan válida como cualquier otra, de retener a Xana a mi lado. Quiso ser ella quien descargase mi equipaje, pero no se lo consentí; a pesar de que yo mismo hubiese podido soportar perfectamente el peso de las maletas y el esfuerzo de acarrearlas hasta el interior de la vivienda.

Supuse no sin razón, que, una vez puestos en tierra los equipajes, ella se iría en el coche con la disculpa de devolverlo en la agencia de alquiler y pagar la factura correspondiente; y yo no podía consentir tal cosa. Pude retenerla gracias a esto.

Entretuvimos la espera comiendo alguna fruta que encontramos en la nevera y, luego, caminamos hasta la iglesia de la Santa; pero no pudimos visitarla. Había que avisar a la señora que guarda las llaves y, tan sólo el pensarlo, me causaba un incomodo más que suficiente como para no intentar nada y dejar nuevamente pospuesta la visita; decididamente la haríamos en otra mejor ocasión.

De regreso a casa, caminando por la carretera asfaltada, le conté cómo, en una oportunidad que me parecía lejana, me había parecido verla pasar fugazmente a bordo de un coche y ella, esta vez, se sonrió. Apenas se sonrió, pero no dijo nada. Con lo que me quedé con las ganas de saber si, efectivamente, había sido ella a quien yo había visto; si le hacía ilusión que la hubiese visto o, bien, de lo que se trataba era de lo grato que resultaba el que lo recordase con tanta nitidez y lujo de detalles. Bajó la mirada y se sonrió.

Al llegar a la entrada de la finca, Yakin y Boaz, estaban esperándonos. Habían permanecido al pie de la puerta por la que habíamos salido y, al vernos regresar, nos volvían a hacer tal número de fiestas que llegué a suponer que lo que tenían, más que ningún otro sentimiento, era el que produce el vacío de estómago.

Pudimos comprobar que era, precisamente, ese sentimiento el que maceraba sus cuerpos jóvenes. Les vertimos pienso para perros en sus vasijas y lo comieron con voracidad que me preocupó. ¿Cuánto tiempo llevarían Paco y Elisa fuera de casa?

Decidí observar todo con algún detenimiento, pero el hacerlo no sirvió de nada. De forma habitual todo estaba ordenado en aquella casa y no podría constatar nunca, en algún inopinado desorden o en cualquier otro rastro producto de una decisión momentánea, si la casa habría sido abandonada de manera precipitada o no.

La espera se prolongó lo suficiente como para que acordásemos ser nosotros quienes descargásemos las maletas. Me molestaba el tener que llamar a casa de mi tío Álvaro para preguntar si sabían algo de mis fámulos, ya que ello sería tanto como reconocer que, de forma tan despreocupada como evidente, no sabía nada de ellos desde hacía ya demasiados días. Por eso decidimos que Xana se fuese a La Ciudad, devolviese el coche y se acercase luego a saludar a mi tío para, con tal motivo, poder preguntar por ellos, así como de pasada, e informarme a mí, acto seguido, por teléfono de todo lo que hubiese podido averiguar. Xana se fue y me quedé solo.

Debí de quedarme dormido al poco tiempo de permanecer dueño de toda la soledad que, después de marchar Xana, fue invadiendo la casa de forma paulatina. Tan pronto como ella partió me dediqué a recorrerla, a visitar los rincones que había aprendido a habitar durante todos los meses que precedieron al concierto de Turín, y sentí, acaso por primera vez, que aquélla era realmente mi morada. Identifiqué los olores que la poblaban, reconocí la luz cenital que entraba en mi taller de lutería y no me resultaron extrañas las sombras de los árboles, ni los musgos de las piedras del jardín y supe que

181

empezaba a amar aquel ámbito y que ya era mío en idéntica manera a la que yo ya era de él.

Subí a mi dormitorio y me tumbé encima de la cama. No puedo, pues, decir que me invadió el sueño estando sentado en un sillón, pero tampoco que lo busqué de forma deliberada; aunque ciertamente el sueño suele invadirme cada vez con mayor frecuencia desde que regresé de Italia. Se apodera de mí y yo me abandono a él sin pudor ninguno, incluso con cierta voluptuosidad que no sé si es muy propia de mis años.

Me gusta estar dormido, permanecer semialetargado en esa duermevela que te permite constatar el estado de vigilia, a la vez que el de inconsciencia, y reconocer, al mismo tiempo, en tus miembros la laxitud de los músculos relajados, la inexistencia de temblor junto con el temor a que comience de nuevo ya que no fue suficientemente anulado por la voluntad de volver a sumirse en el sopor. Seré ya un enfermo hasta el final de mis días. Moriré, al menos eso espero, por causa de la enfermedad que me invade. Hace tiempo que lo sé. Lo que ignoro es cómo la muerte se hace presente en el cuerpo de un parkinsoniano. ¿Será una temblequera catárquica, la que me lleve?

Y sin embargo me refugio en el sueño, convencido de que mientras duermo prolongo, por causas que no sabría explicar, la duración de mi vida. Temo la vigilia acaso porque tema la consciencia, y el sueño me permite la escapada sistemática, el encuentro con realidades que añoro o que deseo, el cumplimiento de las voluptuosidades que, mi edad y el mal que me consume, me niegan de forma casi sistemática.

Me gusta despertarme despacio, ir entreabriendo los ojos lentamente y, también con toda lentitud, ir alertando los sentidos de uno en uno. Primero el tacto, sintiendo el roce de las sábanas sobre la piel; luego, el oído, reconociendo los ruidos de la casa, los ladridos de los perros, el ulular del viento o el batir del agua de la lluvia sobre los cristales; más tarde, recuperar los olores, adivinando el de la hierba que asciende hasta la ventana o el de la flor del naranjo que flota en el aire desde temprano y, con el tiempo, olvidar el endemoniado sabor de boca con el que me despierto y que debo agradecer, casi seguro, a la medicación que me trae no sólo el sueño, sino que a la vez entretiene esta maldita enfermedad y me permite indagar, cuando no averiguar a plazo fijo, cuánto me queda de disfrute, precisamente, de los sentidos.

Y así voy redescubriéndolo todo a cada despertar. Las distancias que hay entre las cosas, su ubicación en el espacio, o yo mismo que soy, quiéralo o no, el centro del mundo y el dueño de todo lo que mi cuerpo abarca; puesto que todo es porque yo soy.

Me despertó el sonar urgente e impositivo del teléfono. Era Xana y lo primero que me dijo, con la voz más plena de naturalidad que pudo, fue que Elisa y Paco acababan de salir hacia Brión cuando ella había llegado al Policlínico en el que estaba, fuera ya de cualquier peligro, internado mi tío Álvaro. Una crisis hipertensiva, según me afirmó ella, fue lo que lo había llevado hasta el sanatorio. No debía preocuparme y, para demostrármelo, iba a pasarle el auricular a mi tío quien, además, estaba deseando hablar conmigo.

—¿Cómo te va golfante?

Me dijo el muy canalla nada más posar el teléfono en su oreja, no sé si realmente preocupado por cómo me iba, por cómo me había ido, o si no se trataba más que de una oportunidad, cogida al vuelo, para llamarme golfo.

—¡¿No reventarás, cacho cabrón?!

Le dije con toda simpatía, a la vez que me reía, y oí cómo se reía él al otro lado de la línea telefónica. Daba toda la impresión de que la risa, forzadamente cómplice, iba dirigida a Xana más que a mí y eso logró enfurecerme. Era en exceso jovial e impropia de un hombre de sus años y de la situación en la que se hallaba.

En ese momento sentí llegar a la pareja dedicada a mi cuidado y me despedí, sin darle tiempo a decirme nada más, prometiéndole una visita tan pronto como me fuese posible hacerla.

Bajé y saludé al matrimonio fijándome, instintiva e ingenuamente, en el vientre de Elisa que no acusaba en absoluto la presencia de un nuevo ser dentro de ella. Lo hice con cierto aire de superioridad respecto del padre de la criatura, a quien no recordaba informado del resultado del análisis. La mente comenzaba a mostrárseme confusa desde algunos días antes y ahora empezaba a ser consciente de que las lagunas en mi memoria eran cada vez más frecuentes y profundas. Cuando Paco aludió con toda naturalidad a nuestra condición de primos mi confusión fue infinita. No recordaba si Álvaro me había indicado que no lo comentase, si acerca de lo que me había rogado silencio era sobre el tema del embarazo e, incluso, llegué a preguntarme si el primo era él o de quien en realidad se trataba era de ella. En cualquier caso no supe cómo reaccionar y guardé un silencio, en absoluto prudente, y sí expectante que no nos llevó a ningún sitio.

Es curioso constatar como nuestra memoria es selectiva. Continúo siendo capaz de hacer memoria sobre cosas sin importancia —pero que a mí me la ofrecen, y suma— a la vez que soy incapaz de recordar todo aquello que no se refiere a mí, de una forma directa, o no me ofrece un interés mayor e inmediato. Al sucederme esto, al no acordarme de cosas o al tener dudas acerca de ellas, mi entendimiento se nubla y soy incapaz de reaccionar con prontitud; balbuceo frases inconexas que pronuncio entre dientes y, cada vez, soy menos capaz de llenarme de indignación e, incluso, de autocompadecerme.

184

Me consolé pensando que, la torpeza de mi actitud, haría pensar a Paco en que yo ya era conocedor de nuestra relación familiar con anterioridad al momento de él darme la noticia, sin necesidad de mayores explicaciones; pero ello no me tranquilizó, ya que no estaba seguro de quedar bien parado el concepto que, mi comportamiento, mereciese en su consideración. Por el contrario me pregunté cuál debería ser, a partir de aquel momento, la relación que habría que instaurar entre nosotros. Cierto que durante los meses que llevábamos juntos jamás se había establecido una estricta relación de amo-empleados entre nosotros y que la existente había sido más bien de juvenil camaradería. Pero yo era quien ingresaba en sus nóminas, a fin de mes, el dinero obtenido con su trabajo y éste consistía en cuidarme a mí y a mi propiedad. ¿Deberían pemanecer en mi casa, en qué condición deberían de hacerlo, deberían seguir ganando su sueldo, contrataría otros criados, los alimentaría yo? Todo era una pura pregunta. Álvaro debería comer menos copiosamente, así no tendría crisis hipertensivas y no me complicaría la vida con confesiones inoportunas, tal y como me estaba haciendo.

Aunque bien pensado era mejor así. Habría sido un problema mucho mayor, en el caso de que hubiese sucumbido a la crisis, y fuese yo el llamado a resolver una situación en términos que deberían ser establecidos por mi tío y no por mí. Maldita la falta que me hacía a mí la herencia de Álvaro y maldito lo que me importaba compartirla con nadie; incluso la mía propia adquiría a partir de entonces un sentido del que había carecido. Mira tú por donde mis discos iban a continuar teniendo quien recibiese los derechos de autor a mi muerte.

Todo esto lo pensé después de haber balbuceado torpezas delante del matrimonio; pero fue en esos duros instantes cuando sentí que la situación había sido superada, gracias a sus respuestas y por las explicaciones que ellos me ofrecían, compungidos, respecto de la salud de Álvaro, de las circunstancias del internamiento, de lo mucho que comía, los años de los que disfrutaba y el tiempo que le podía quedar de vida. Ellos también estaban sobrepasados por las circunstancias, por las noticias y por las realidades que se habían volcado sobre todos nosotros, de manera irreversible, en el curso de las últimas horas.

Ese día consumí lo que restaba de tarde encerrado en mi habitación, haciendo que hacía, saliendo de ella de vez en cuando para acercarme a la lutería; dormitando encima de la cama y, en todo caso, evitando el encontrarme con mis primos. ¿Cómo llevarían éstos la nueva situación? Es difícil meterse en la piel de los demás, tanto que nunca me atreví a opinar sobre situaciones y circunstancias que afectasen a otros, por miedo a ser injusto y preferí, siempre, juzgarlo todo desde mí mismo e incluso tan sólo sobre mí mismo, también. Acaso todo se reduzca a una simple cuestión de egolatría, pero así ha sido siempre y no veo la razón para empezar ahora un nuevo aprendizaje que sé, positivamente, que en ningún caso concluiría.

De vez en cuando ocupé el tiempo en observar y oír, a media voz, los programas de televisión. No era capaz de concentrarme en ellos y lo que se me ocurría a propósito de lo que estaba viendo era todo referido a la mediocridad imaginativa de unos realizadores, incluso de unos locutores, que tienen tamaña responsabilidad en sus manos; pero posiblemente este juicio también esté viciado en su origen: el día no era bueno para nada, no lo había sido, jamás lo recordaría con apego.

La noche la pasé sumido en la inquietud. La figura de mi tío, de la que había prescindido de forma harto elocuente a lo largo de toda mi vida, se me ofrecía ahora imprescindible. Se había convertido en una referencia que me unía a un excesivo número de cosas como para consentir su desaparición sin ningún expresivo lamento por mi parte, ¿Pero en realidad me importaba? Creo honestamente que no. Al menos en la misma medida que no me importaba mucho la continuidad familiar a través de aquel hijo espurio.

La vejez nos dota de un extraño cinismo. El que yo disfruté, al menos durante esa larga e insomne noche, me hacía considerar, incluso, que ni de la juventud de mis primos estaba necesitado yo para ayudarme de ella en mi decrepitud. Ya estaba siendo vivida esa decrepitud y era evidente que me moriría sin tener necesidad de nadie. Además, ya aparecería alguien poseedor de los dones del espíritu de los que yo siempre carecí, dispuesto a ganar el cielo a costa de malgastar en mí su ayuda, su tiempo, su afecto; su dinero, no; porque ése lo tenía yo y eso siempre ayuda bastante. Al menos en una medida razonable.

Lo cierto es que por la noche, añoré a mi tío y me prometí visitarlo a primera hora de la mañana siguiente. Pero no lo hice. No pude hacerlo.

A última hora de la madrugada conseguí quedarme profundamente dormido y me desperté tarde. Paco y Elisa, afectados de un intratable y repentino ataque agudo de filialismo, habían acudido a La Ciudad y comprendí que ya era posible que todo se desmoronase a partir de entonces. ¿A quién recurrir? Pensé en llamar a Xana, pero me contuve. Casi siempre es preferible esperar que todo suceda y consentir en que sean los demás los que tomen posiciones, los que se equivoquen o los que acierten. Es mucho más cómodo equivocarse por omisión, pues los hechos consumados generan más y mayores evidencias que las silentes abstenciones de los que nos amparamos en nuestra timidez o en nuestra mojigatería. Ya vendrían y ya se explicarían.

Así fue, pero no se explicaron en absoluto. Con toda naturalidad me informaron del estado de mi tío y, acto seguido, me sirvieron la comida. Excepto en el desayuno que, de haberlo necesitado, tendría que habérmelo servido yo mismo, su ausencia no se notó en absoluto.

Al terminar de comer comuniqué que no me encontraba bien y pude observar sus ojos alarmados, alargando las miradas más allá de mí mismo, y eso me asustó y me dejó preocupado. ¿Estaría mal sin darme cuenta? ¿Tendría mala cara y lo que para mí era una consecuencia de mi cómodo egoísmo, sería para ellos determinado por alguna oculta causa debida a mi dolencia? ¡Qué suspicaz se vuelve el corazón de un viejo y cuánto miedo, cuánta inseguridad lo habita! Me levanté de la mesa temblándome no sólo la mano sino que, al menos esa fue mi impresión, la totalidad de mi cuerpo macerado y triste también lo hacía.

Me quedé dormido en la hamaca del jardín, recibiendo el sol tibio de la tarde, sintiendo el cuerpo de Boaz sobre el empeine de mis pies, malhumorado y tenso. Había permanecido en el taller a lo largo de minutos más que suficientes como para convencerme de que no tenía ni ganas ni fuerza, ni acaso ya la habilidad necesaria, precisa para ponerme a trabajar en construir instrumento alguno y quizá fue esa certeza la que motivó el sueño intenso de aquella tarde.

Me supe entrando en la catedral de La Ciudad por la puerta de las Platerías, camino del archivo catedralicio, con un ánimo investigador y erudito que no sé de qué rincón de mi memoria habrá sido traído a la superficie de mi sueño. Iba en la búsqueda de un motete, a ocho voces y con acompañamiento de arpa, del que es autor un Antonio Carreira, maestro de capilla en la catedral en la primera mitad del siglo XVII. Me vi, ya en el archivo musical, descendiendo por una especie de escotilla de barco que permite penetrar la oscuridad silente del sótano en el que se encuentran depositados los fondos documentales del cabildo.

Y de allí, ya sin saber cómo, seguramente transportado por arte de magia, me vi elevado a la altura de los ancianos del Pórtico; llevado hasta ellos en un vuelo y levitando, con mi rostro pegado a los suyos, mientras que alguien, ignoro quién, me susurraba al oído palabras que decían aseveraciones inconexas acerca de la creencia de los ofitas.

¿En qué otro rincón de mi cerebro, en qué circunvolución extraña e inaccesible, reposó durante tantos años como para que yo ignorase su existencia, a lo largo de toda mi vida, la convicción de que el inspirador del nuevo testamento es el demonio y que son, los suyos, textos apócrifos? ¿Era yo uno de ellos, era yo un ofita?

Mis ojos los sentí fijos sobre un arpa en la que, una culebra, muerde, con su boca enorme, la garra que le es propicia y supe que la sonrisa de todos los ancianos es una sonrisa llena de ironía, cuando no de escepticismo. Están esperando todos ellos, impertérritos, a que suene el momento de iniciar la sinfonía del fin del mundo, pero no se deciden a hacerlo. Esperan la señal que se lo indique. Llevan así la mar de tiempo. Oyen algún estrépito de forma esporádica, pero es evidente que no se trata de la, ¿ansiada?, señal.

También yo en mi sueño oí un fragor; bajaba del cielo y era parecido, a la vez, al estruendo del océano y al estampido de un trueno fuerte: se trataba, quién lo diría, del son de los instrumentistas que tañían sus cítaras delante del trono, delante de los cuatro vivientes y de los ancianos, mientras que con sus voces roncas, se entretenían cantando un cántico nuevo. Pero nada. No se trataba de nada serio. Al menos de nada tan serio como lo que los ancianos están esperando, ya un poco aburridos de hacerlo.

Y eso que, al ruido de las cítaras, le había precedido el momento en el que el ángel se decidió, por fin, a coger el incensario, enorme y plateado. Tan grande y hermoso que yo, en mi sueño, juraría que era el Botafumeiro. Lo cogió, lo llenó de ascuas del altar y lo trasladó, de malos modos y a través de La Puerta, al medio y medio de la plaza del Obradoiro, afortunadamente vacía de gente a aquella hora de mi sueño; aunque creí adivinar, detrás de los visillos que velan su despacho, apartándolos para poder observar discretamente, al presidente del gobierno de Galicia que estaba hecho un lío gracias a sus ministros, como siempre, y un algo emocionado, como casi siempre.

Cuando el ángel ciscó el Botafumeiro, en realidad lo que hizo fue baquetearlo contra el suelo, con gran estruendo, en medio y medio del Obradoiro no es de extrañar que hubiese truenos, estampidos, relámpagos y un terremoto que, en mi angustia, no consiguió despertarme. ¡Quién me diera! Porque, en ese momento, los siete ángeles que tenían las siete trompetas, sin encomendarse, ni a Dios ni al diablo, comenzaron a tocarlas.

En el momento en que el ángel había llegado con el incensario, aleteando torpe y cansinamente, pues el Botafumeiro debe de pesar unos sesenta y ocho quilos, más o menos, se dedicó a balancearlo a la vez que le daba algún golpe que otro contra el suelo, los veinticuatro ancianos se dedicaron a meter en sus redomas los aromas que emanaban de él, mezclándolos con las oraciones de los consagrados. Dios sabe con qué objeto lo hacían, o al menos a mí se me escapaba en ese momento la razón de tan parsimonioso proceder y, ahora, en el estado en que estoy, no me voy a poner a dilucidarlo.

Y empezaron a tocar sus trompetas cuatro de los angelitos. Digo angelitos porque en ese instante, las aladas apariciones se habían convertido en unos gordezuelos infantes, dueños y portadores de unas generosidades cárnicas muy propias del barroco, y las trompetas se habían reducido de tal forma que más bien semejaban punteiros de gaita, sin fol, por supuesto, generadores de un sonido estridente y nada propio del recinto cerrado en el que sonaban, a través de los que soplaban de forma que pretendía ser ciertamente solemne y no pasaba de inoportuna; cuando no ridícula. Los ancianos, entretanto, mantenían su sonrisa impertérrita y demoledora. Yo no sabía qué hacer.

Por el mismo camino que me había conducido hasta allí, es decir, volando a través del aire, había conseguido acogerme al seno maternal de Santa Inés que, extrañas virtudes de los sueños, había recobrado sus formas, generosas y bien dotadas de volumen, anteriores a haber quedado tabula in rasa; desde el recuperado y muelle seno podía observarlo todo, aunque no tan ajeno a ello como deseaba.

Tocó el primer angelito su gaita o, mejor dicho, su punteiro y desafinó terriblemente; aquella palleta decididamente no servía, pero fue más que suficiente como para que se produjesen granito y centellas en cantidades de alta producción industrial como para que un tercio de la tierra se abrasase, un tercio de los árboles se abrasase y toda la hierba verde se abrasase. Pero, a pesar de ello y de todas formas, no me alarmé mucho. Eso sucedía todos los veranos y ardía bastante más de un tercio de la tierra que habitaba sin que nadie se preocupase lo más mínimo. Ni siquiera el Presidente del Gobierno.

Entonces vino el segundo angelito, le dio a su sonsonete, y un tercio del mar se volvió del color de la sangre. Ni me inmuté. «Marea Roja», me dije, «mal va a andar el sector del mejillón». La mitad de los mejillones que se producen en el mundo se verían afectados, gracias al trompetazo, o lo que fuese aquel sonido, e innumerables diarreas, de apocalípticas diarreas, darían fe del evento ante la total pasividad e indiferencia.

Cuando fui informado, en medio de mi sueño, de que, gracias a la broma del segundo angelito, un tercio de los habitantes de la mar se morirían y de que un tercio de la flota iba a naufragar gracias al trompetazo, o lo que fuese, propinado por el infante, nada alteró mi rostro, parkinsoniano o no; pues ese don, en el sueño, no sé si lo disfrutaba. «Otro superpetrolero que se escangalló en la Costa da Morte», fue todo mi comentario y me consolé, así, reflexivamente. ¡No pasaba nada!

Mi sueño continuaba, pero yo estaba aprendiendo a tomármelo con calma y sin la angustia de un principio. No se puede discutir que el sueño no fuera apocalíptico, porque lo era, pero tampoco negar que la cosa no fuera para tanto. El tercer ser alado dio su bocinazo, un «piiiiiiiiiiiiiiii» algo jocoso que consiguió alterar las sonrisas irónicas de los ancianos, para mudarlas en unas abiertas y un algo procaces carcajadas. En ese momento un bólido incandescente fue a dar con sus restos sobre un tercio de los ríos y sobre los manantiales: Era el Botafumeiro que, en una jugada de rebote, a fuerza de ser golpeado contra el suelo, se había desprendido y, convertido en cachitos, chirriaba al tiempo de emponzoñar todas las aguas terrestres. No sé quién me musitó al oído, supongo que Santa Inés, que no era el Botafumeiro, sino que se trataba de un cometa llamado Ajenjo y que, lo que de él se esperaba, era que al volver las aguas tan amargas, consiguiese matar a mucha gente. Eso me tranquilizó sobremanera. Más estragos había venido causando la supuesta cosecha de Ribeiro que se expendía, año tras año, en las tascas de La Ciudad, con gran contento de todos, y, un tercio de los ríos estropeados, aunque fuese en un sueño, era una cifra muy por debajo de la real.

Empezaba a resultar aburrido y poco emocionante el sueño en el que yo estaba habitando. En sueños bastante peores me tengo visto y, por poner un ejemplo comparativo, aunque no venga mucho al caso, pero por entendernos, peor lo había pasado en el concierto de Turín; por no decir en sus vísperas y por mucho que lo disimulase y la presencia de Xana colaborase a ello.

Cuando el cuarto gaiteiriño sopló su arma sonora, provocadora de desastres, un tercio del sol, otro de la luna y otro más de las estrellas, se entenebreció y al día le faltó un tercio de su luz. Con toda parsimonia Santa Inés me susurró: «¡Lo que faltaba, ahora eclipse!» y decidí que lo mejor sería despertarme. ¡Sabe Dios lo que me reservaba el sueño, con los tres angelitos que aguardaban su turno, en la sacristía, para salir a interpretar su correspondiente solo de trompeta!

Aún tuve tiempo para oír a un águila que volaba por la mitad del cielo e iba clamando: «¡Ay, ay, ay de los habitantes de la Tierra por los restantes toques de trompeta, por los tres ángeles que van a tocar!». Pero ya no me asusté en absoluto; por muy apocalíptico que el sueño fuese, bastante peor era la realidad que la ficción y, a la Tierra, a fin de cuentas, nada la había perturbado más de lo que habitualmente la perturban incidentes de semejante índole y condición.

Me despertó Elisa de mi sueño. Lo hizo agitándome suavemente al observar que sudaba de una manera abundante y que gesticulaba frunciendo los labios como un conejo. Supuso que no me estaba divirtiendo y reaccionó posando su mano en mi antebrazo derecho, balanceándome con dulzura. Lo cierto es que, bromas aparte, soñar con el fin de los tiempos no siempre resulta grato. ¿Estábamos al final de los tiempos, por cierto? Todo era peor que en mi sueño, todo era peor que en el Apocalipsis. ¡Qué extraños vericuetos tiene el alma humana para avisar sin que nos demos cuenta del aviso! ¿Será Dios el espíritu de la colmena?

En un agravamiento repentino de su recientemente adquirido mal, Paco se había ido a visitar a su padre. Elisa me lo dijo sonriendo. Lo que me permitió que dialogásemos los dos, durante un buen rato, acerca de lo que podía significar el descubrimiento de la maternidad para ella, y no sólo el de la paternidad, sino también el de la filialidad, para Paco. Elisa se sonrió. Se había convertido en una mujer madura y responsable, segura de sí misma y del alcance de sus actos:

—Y de su primo, Joaquín, también de su primo... De una familia en suma.

¡Qué lista fue Doña Elisa! ¡Qué lista! Cuando le conté mi sueño y divagué, a continuación, por vericuetos priscilianistas no se alteró lo más mínimo y, con idéntica dulzura a la de antes, me afirmó que de eso nada, de eso ya nada, eran andanzas místico-esotéricas que nada tenían ya que ver con ellos, que si la inmadurez, la juventud y no sé cuántas garambainas más, que citó y supo entremezclar sabiamente con los lugares comunes, las frases hechas y las expresiones habituales y propias del caso. Estaba en buenas manos. No cabía duda, me cuidaría amorosamente hasta el final de mis días.

Permanecimos todavía un buen rato hablando, allí mismo, en tanto que el crepúsculo vespertino lo iba invadiendo todo. Un tercio, y aún más, de la tierra de Brión y, con ella, del resto del mundo, se ensombreció paulatina y tenuemente en la proximidad del Finisterre.

Me atreví a hablar, llevado de una curiosidad posiblemente insana, de contratar nuevos criados. No dije «otros criados» ni siquiera dije «nuevos», aunque en el fondo lo pensase. Me referí a unas personas que les ayudasen a llevar la casa y a llevarme

194

a mí. Elisa se negó a tal posibilidad, afirmando que se valía por sí misma y que con ella era más que suficiente para llevarlo todo; que Paco era otra cosa, pero que ella se bastaba. Acto seguido concedió, sin ninguna propuesta por mi parte, que alguien para cuidar el jardín y los animales, no estaría de más y, antes de que me propusiese que su marido, es decir, mi primo me llevase mis asuntos, me levanté apresuradamente con la disculpa más tonta que encontré a mano:

—¡Voy a mear un poquito!

Afirmé y me alejé con paso torpe. Pero aún tuvo tiempo para pronunciar su propuesta mientras yo me encaminaba hacia el cuarto de baño con paso cansino.

No sé si como consecuencia de la medicación, si motivado por el sueño apocalíptico o, simplemente, porque la próstata había tardado mucho en empezar a dar la lata y por fin se había decidido, lo cierto es que aún fui a orinar unas cuantas veces más: meadas pequeñitas y de corto alcance, meadas recurrentes, más dadas al goteo nada pretencioso que al chorro emblemático de la primera juventud (y todavía más allá, aunque no esté bonito presumir) que concluían siempre con la preocupación de no habérmela sacudido en la medida necesaria y la evidencia de que así, efectivamente, había sucedido. Solía pingarme la pernera del pantalón y sentir húmeda casi toda la cara interna de la extremidad inferior correspondiente o bien mojar el exterior de la pretina y sentirme, por ello, abochornado.

Puestos a elegir, entre una cosa y otra, prefería el frescor interno que el rubor externo. Pecado tapado, medio pecado. Además causa más goce el pecado discreto. Te hace sentir superior al resto de los semejantes que te rodean: «Voy con la pernera del pantalón toda mojada, porque a pesar del temblequeo de mi mano no me la sacudo del todo, y vosotros no os enteráis, so cabrones» es a menudo una reflexión mucho más gratificante que la que resulta de ocultar, por procedimientos varios e incluso curiosos, las salpicaduras y las manchas húmedas de la entrepierna: «¡Me mojé, sí, ¿qué pasa?! Los años y las fatigas...; pero si supieseis el uso que le saqué al aparatito». Reflexión, ésta que equivale casi siempre a decir que no se conforma quien no quiere y algunas otras lindezas del refranero que actúan a modo de consuelo de imbéciles y satisfacción de idiotas. ¡Ah, la sabiduría popular!

Según salí del baño apareció Paco. Nunca sospeché que, el beso de la princesa, tornase al asqueroso sapo en un príncipe tan apuesto y ufano, y lo hiciese de forma tan rápida y contundente. Aquel par de batracios que habían sido mis criados hasta hacía nada disfrutaban ahora del caminar, sereno y reposado, que sólo una larga educación proporciona. ¿Pero quién asegura que no se trata de una eternidad la que transcurre desde que haces un bingo hasta que lo cobras? Siglos, siglos son los que transcurren por tu alma desde que la vida te da la vuelta y doblas cualquier esquina que nunca sospechaste que pudiese estar tan cerca. La lógica es la nueva situación; la anterior se convierte, de inmediato, en algo lejano que le sucedió a otra persona que, evidentemente, no se trataba de ti mismo y a la que nunca conociste y, por ello, no le vas a prestar atención ahora.

Tu primer concierto, tu último triunfo, son acontecimientos que se produjeron hace siglos y que, de tan lejanos, se convierten en presente actuante sobre y a partir de tu propia vanidad. Así Paco y su recién adquirido acceso a la familia. ¡Él había sido siempre de la familia! Lo lógico era que se comportase así, la sinrazón estaba en la anterior ejecutoria vital y ese convencimiento proporciona, a quien lo disfruta, de un dominio del espacio que lo rodea, de tal magnitud y evidencia que, a modo de aura fácilmente connotable, tiene su reflejo en la forma de andar, en la impostación de la voz, en la gestualización toda, resumida en las manos que abarcan el aire de otro modo; en la mirada que se serena o endurece, de forma alternativa, según a quien se dirija; en el rictus de la boca que es irónico o compasivo, según a quien se tenga al alcance del oído. Y así, todo cambia.

Llegó Paco según yo salía del baño y supe que ya no hablaría con un igual nunca jamás. Tenía, por encima de la mía, su propia edad. Y no sólo gozaba sus mejores y más hermosos años, su más larga esperanza de vida, tenía también otras cosas. Disfrutaba de una salud entera, disfrutaba una hembra feliz a su lado, venía de un largo recorrido por caminos de los que no todos logran evadirse y poseía el don del escepticismo que, ya se sabe, es una forma de higiene mental muy necesaria.

Cuando vio que, con mano temblorosa, intentaba subirme del todo la cremallera y pudo observar las manchas que aureolaban mi entrepierna, me dijo:

—¡¿Qué, te ayudo?!

De una forma tan jovial y campechana, lo dijo, que supe que, además de hijo de mi tío, era también un verdadero hijo de puta. Estuve por contestarle que incluso podría meneármela, pero me contuve. Gente así es capaz de pensar que se está hablando en serio; por eso preferí preguntarle por su padre y dudé brevemente cómo hacerlo. Me decidí pronto:

—¿Qué tal Álvaro?

Me miró expectante. Hubiese preferido poder mostrar la cara ansiosa y feliz de quien es solicitado acerca del estado de salud de su padre; incluso deseado que la formulación se refiriese a un «Don Álvaro», distanciador e insultante, que le hubiese permitido fruncir el ceño; también la de un frío indagar acerca de «mi tío», consentidor de la mirada

197

implorante y mimosa de quien desea ser integrado en el sitio que le corresponde y en el que ya lo está, sin necesidad de mayores reconocimientos. Pero se había encontrado con un impersonal, al menos en la apariencia, tratamiento lleno de cordialidad que lo reducía todo a la espectación y al silencio.

—Bien, muy bien. Gracias.

Me marché al jardín. Cuando lo hice, ya era de noche y paseé a la luz de una luna llena y dorada que proyectaba sombras y dejaba que la serenidad lo enseñorease si no todo, al menos sí una gran parte del ámbito total que podía abarcar mi mirada, es decir, todo el mundo; todo el mundo a mi alcance, todo.

Los perros vinieron a acompañarme en mi recorrido por el jardín. ¿Cómo estaría La Ciudad, vista bajo la misma luz? Seguro que nada había cambiado. Me senté sobre una piedra de granito a medio pulir que hacía de asiento, adosada a uno de los muros, a pesar de que no hubiese sido ésa la razón de que permaneciese allí abandonada, y dejé que me invadiese la nostalgia.

Sin saber cómo, ignorante de cuál había sido la necesaria asociación de ideas, me vi nuevamente de niño seminarista, recorriendo los claustros bañados por la luz de la misma luna, muchos años atrás; toda una vida atrás, que podía ser contemplada con nitidez lunar en la distancia. Quizá me viniese el recuerdo traído por el calor de los cuerpos de Yakin y Boaz que se frotaban contra mis piernas o permanecían apoyados contra ellas, al tiempo que reclamaban mi caricia.

En aquellas noches del seminario, sentías también el calor de otros cuerpos, próximos al tuyo y lo único que pedías era que tu calor no fuese reclamado como lo era el de los birichias, el de aquellos niños que hacían de niñas en una sociedad que así se lo reclamaba. Careciendo, como carecían los seminaristas, del complemento directo, incluso del indirecto, se aprovechaban del circunstancial y éste solía localizarse casi siempre en los escasos niños bien y de buena familia que habitaban los enormes tramos, las celdas privilegiadas, las torres exclusivas. Niños de piel blanca, todos ellos, niños finos y casi siempre esbeltos. Yo era uno de ellos. Por eso viví una infancia torturada entre el deseo de ser reclamado y el pánico a que eso sucediese. Siempre vencía el pánico, acaso empujado por el asco, pero yo viví esa tortura; yo quise ser objeto de deseo.

Las noches como la de ayer eran propicias para ello, para la urgencia de los cuerpos reclamados, para el fluir de la reflexión serena, mitigada por la luz; acaso por esa razón fuese por la que todo me vino a la memoria de la forma en la que lo hizo. También pudo ser porque estoy viviendo ahora un miedo equivalente a aquéllos y debido a que, en el fondo, todos los miedos sean el mismo. Vivo en el temor de ser llamado por la muerte y el ansia de descansar este maltratado y dolorido cuerpo, tan fatigado. Vivo entre la pulsión, el deseo de abandonar la vida y el temor a privarme de noches hermosas y llenas de luna y de recuerdos, en las que todos los sentidos se estremecen.

Cuando estas noches se producían, cuando recorríamos los claustros sintiendo nuestros alientos próximos y nuestros cuerpos juntos en los descansos de los recorridos, breves y rápidos, que iban de columna a columna, de sombra a sombra, Xanín nos esperaba siempre en la Sacristía. Nos reuníamos en la capilla de las reliquias, para comer lo que, las visitas de los jueves y los domingos, nos habían traído o lo que gente que como yo entraba y salía, había introducido de matute debajo de la sotana, dentro del paraguas, o en cualquier otro lugar que la imaginación indicase como idóneo. E imaginación teníamos mucha, porque era el recurso que, junto con el de la lectura, nos permitía huir de los horarios, evadirnos de la cotidianidad que no deseábamos.

Nos esperaba Xanín en la Sacristía y allí comíamos, bebíamos y fumábamos y, luego, ahítos, nos desplazábamos al interior de la iglesia de San Martín y, ya en el coro, levantábamos una trampilla que conduce al cementerio que está justo debajo de él.

Provistos de unos cabos de vela descendíamos para recorrer, ebrios de miedo o de valor, según los casos, los caminos estrechos que discurrían entre las laudas y las cruces, entre la fosa común y los enterramientos más significados. Y al salir de nuevo al claustro podíamos ver el altar coronado por el sol o el que lo estaba por la luna, según dirigieses tu mirada, a derecha o a izquierda, a Yakin o a Boaz, porque surgíamos a ello desde lo profundo de la tierra; podíamos recordar la mano de piedra que, emergiendo de lo profundo de una lápida, ase el báculo abacial con la fuerza terrible, inconmensurable, de quien se aferra a él desde el otro mundo, porque acaso fue de lo único de lo que disfrutó en toda una larga vida, y lo hace en la esquina más oculta de una iglesia que es la mejor expresión posible que jamás se haya dado de la más pura anti-Reforma: La Luna corteja al Sol de idéntica manera a como la Iglesia corteja a Cristo, es decir, con la vehemencia y la contumacia, más que con el amor, de quien sabe de antemano que no se puede, nunca, esperar un futuro independiente de la realidad del presente.

¡Ah! caray!, por eso, a veces, se llega a intuir por qué desciende Jerusalem y permanece mil años posada y por qué así ha de hacerlo también La Ciudad y no habrá nadie que sea capaz de impedir que levite, y flote, y se desplace, navegando a través de los tiempos; porque así está escrito y ése es el deseo.

Reconozco que, ayer, mi mente empezó a confundirse de nuevo, y a confundirme a mí, con recuerdos que no soy capaz de distribuir según sería necesario hacer para que todo tuviese el sentido del que, a estas alturas, todavía carece. La claridad lunar me hizo descender, anoche, al fondo de mí mismo, al fondo de mi temor más ancestral, para que, después, de igual forma a la que, cuando era niño, ascendía a la torre izquierda de San Martín, tras haber estado en la cima del horror del cementerio, intentase el ascenso que nunca me fue negado y que, también ayer, me resultó imprescindible para poder seguir viviendo.

Y es que cuando era niño, desde ella, desde la torre hasta la que había ascendido, una vez salido del fondo de la noche, bajo la dorada luz de la luna, me dedicaba a observar Santa Clara, Belvís, el Carme de Abaixo, San Paio do Monte, Cotolai, el Castro de Figueiras y los oteros de A Almaciga o del Carme de Arriba, porque todos esos nombres componían las referencias, únicas y precisas, de todo lo que entonces era todo el mundo.

Ayer pude hacerlo, en aquel momento nocturno, con semejante fortuna e intenté ascender así, y lo conseguí, al deseo de contemplarlo todo con apacibilidad y dulzura. Y de igual manera, ansié prolongar el horizonte de mi vida, como entonces lo hacía con los de los límites de La Ciudad, que quería ensanchar hasta donde nadie hubiese llegado nunca, porque, así y al tiempo, ensanchaba el universo... y también anoche pude conseguirlo. Remonté nuevamente mi propio y cansino vuelo. Contemplé el horizonte y supe, de forma definitiva, que horizontes los hay siempre y que, también siempre, hay más de uno.

Adelante, atrás, a derecha e izquierda, hay horizonte. En el centro del mundo, en el lugar geométrico que equidista de todos los puntos de esos horizontes limítrofes con la bóveda celeste estás tú. Y hay seres humanos afortunados que, como yo, pueden aprender esto en una noche; que pueden aprender que, en esa equidistancia con el pasado y con el futuro, se conforma toda la lisa, espejeante, acuosa superficie de la vida; que tú eres los horizontes que la limitan; que el futuro es el presente que se desea y que, de acuerdo con lo que nos enseñaron, ese futuro, nunca es independiente de la realidad del presente, porque es ella misma de forma ineluctable.

Eso fue ayer, una vez que bajé al jardín y permanecí en él durante horas, en medio de una temperatura amena e impropia quizá de esta época del año, mitigado sin duda algún rigor que ella pudiese haber traído consigo con el calor tierno de Yakin y Boaz. Y así, una vez más, pude ascender desde la oscuridad sobre la que se mantiene siempre el coro, hasta la luz crepuscular que aboveda la torre siempre inacabada de todas las iglesias a las que se acogen las infancias y desde la que todos los horizontes son posibles.

Nadie vino a buscarme, nadie me reclamó al calor tibio de mi hogar y permanecí sentado, despierto y lúcido, ensimismado en algún sueño, alternativamente consciente o abandonado a ese otro agridulce ensueño que es el del recuerdo, durante toda la no sé si interminable noche. Cuando me di cuenta de que pronto amanecería, me di cuenta igualmente de que estaba lleno de frío y de tristeza. Pero también de que tenía unas irreprimibles ganas de vivir. Unas terribles ganas de seguir viviendo.

Eso fue ayer.

Capítulo décimo

> *Es probable que si la Naturaleza hubiese empleado en asegurar la vida, en atenuar el sufrimiento, en endulzar la muerte, en apartar los azares terribles, la mitad del genio que prodiga en torno a la fecundación cruzada y de algunos otros deseos arbitrarios, el universo nos hubiera ofrecido un enigma menos incomprensible, menos lastimoso que el que procuramos penetrar. Pero conviene buscar nuestra conciencia y el interés que por la existencia nos tomamos, no en lo que hubiera podido ser, sino en lo que es.*
>
> MAURICE MAETERLINCK, *La vida de las abejas,* Libro Quinto, Cap. I.

Todo sucedió ayer. Hoy tiemblo. Pero no sólo es el Parkinson lo que me obliga a estremecerme; también la emoción, incluso el frío y tengo que reconocer que, el miedo, a su vez, ayudan a que, si no lo es, todo mi cuerpo me parezca una convulsión no deseada aunque, felizmente, viva. Sé que estoy vivo. Lacerado hasta el pánico, pero vivo. Y sé que deseo seguir estándolo. Ignoro cuándo y cómo me trajeron hasta aquí, aunque sepa cómo lo hicieron.

En la semiinconsciencia en la que caí, pude saber del ulular de la sirena, de la luz diurna que entraba filtrada por la mitigada opacidad de los cristales de la ambulancia, apenas translúcidos; de las palabras que, de manera totalmente inconexa, pero nítida, iban llegando a mis oídos para que mi cerebro las clasificase y atendiese y, luego, fuera hilándolas, con posterioridad y a fin de dotarlas de una interpretación, ciertamente interesada, acorde con el estado en que me hallo. Me ordenaban vivir. Las palabras me reclamaban a la vida.

Ahora voy y vengo y, entre una cosa y otra, reconozco a quien se acerca a mi lecho. Intento hablarle y me lo impiden el tubo que penetra por mi boca, la sonda que lo hace por mi fosa nasal derecha y que no consigo ver del todo, a pesar de que ponga los ojos blancos, durante más tiempo del aconsejable y de tanto dirigirlos al extremo de mi nariz. Sé que tengo otra sonda penetrándome por el meato urinario; me lo han dicho, al indicarme que orinara sin miedo y sin preocuparme, porque todo iría a parar a una bolsa que hay colgada en el travesaño de la cama.

Pocos agujeros de mi cuerpo deben de permanecer desocupados; al intentar moverme he sentido dolor en mi ano y he inquirido una respuesta con la mirada. Otra sonda lo penetra. Parece ser que sirve como vía de escape para la multitud de gases que han poblado mi intestino. ¿Puede el baile de San Vito provocar tamaña catástrofe, Dios mío? Intenté llevar mi mano derecha hasta la altura de mi cabeza y la sonda de un suero me impidió que lo hiciese normalmente. Ya que no puedo hablar, quise pedir, así y juntando alternativamente los extendidos dedos de la mano, que me reblandeciesen la almohada, dura al cabo del tiempo de permanecer inmóvil en la misma posición en la que, inconsciente, me habían depositado sobre la cama.

Xana interpretó de forma correcta la expresión de mi deseo; levantó con dulzura mi cabeza y atendió a mi ruego. Imaginé sus dedos pellizcando la almohada de forma semejante a como yo lo había hecho con el aire, uniendo el pulgar con los otros, mientras sollozaba de emoción. ¡¿Cuántos años, Dios mío, cuántos años necesité para lograr que alguien posase con tanta ternura su mano sobre mi cabeza, la alzase sobre el lecho y la mantuviese en vilo mientras que, con la otra, ahuecaba el nido en el que depositarla de nuevo?!

Mientras lo hacía y con el único objeto de desviar de la suya mi mirada emocionada, observé el vendaje que, en el dorso de mi mano, impide que se vea la aguja penetrando en mi piel, antes de hacerlo en la vena por la que permite que acceda a mi organismo el suero vivificante que parece ser que me resulta imprescindible. ¿Qué pasará si mi mano empieza a temblar desaforada? ¿Seguirá Xana a mi lado para retenerla entre las suyas?

No recuerdo haberla visto entrar en la habitación. La primera vez que sé que me habló fue en el instante justo de reblandecer la almohada, cuando me indicó que, otro tubo más, drenaba líquido de mi pulmón derecho —¡Dios, cómo me has dejado de tu mano!—, pues el frío de la noche me había dejado una pneumonía o la posibilidad de un pneumotórax. No pude entenderlo bien.

Paco también se acercó hasta mí para recrearse en el tono admonitorio y cariñoso, prepotente y propio del nuevo rico, lleno de razón y de poder, que su nuevo estado le permite:

—¡Sólo a ti se te ocurre dormir al aire libre! ¡A tus años... pero hombre, pero hombre... pero hombre!

No hay duda de que, el chico, es elocuente. Y adulto. Y mayor de todo. Mayorcísimo. Y responsable. Y simpático. Acto seguido ironizó con la presencia de mi tío Álvaro en la habitación contigua y supe que me habían traído al Policlínico de La Rosaleda. Pero aún no vi a Agustín, el viejo amigo.

No se puede afirmar que esto lo hiciese feliz, al elocuente Paco, pero debe de ser una maravilla estar poco menos que solo en el mundo y amanecer con un padre y un primo, ricos y famosos, a punto de palmarla. Los hay que nacen de pie, a pesar de todo.

Mientras el muy cabrito ironizaba, destaqué mi dedo corazón de la mano derecha del resto de los otros, que retraje doblándolos por sus nudillos. Me hubiese gustado poder hacerlo por encima de la ropa, pero me contenté con hacerlo por debajo de las sábanas. Hubiese sido, lo contrario, un esfuerzo inútil, e incluso contraproducente, que me hubiese impedido, a su vez, poner la higa a continuación espantando miedos que, en mi estado, supongo que no deben de favorecerme mucho.

También vino Elisa. Pero permaneció callada, observándome desde una distancia prudente y debió de esperar para marcharse hasta que volví a quedarme dormido, porque cuando abrí de nuevo los ojos ya no estaba allí. El resto han sido médicos y enfermeras. Incluso un cura apareció por la habitación, pero yo negué su presencia agitando, convulso, la cabeza. No estoy dispuesto a morirme. ¡¿Cómo lo entenderán?!

—¡o -a -i -a -o! ¡ -a ra ho!

Acerté a pronunciar tragándome consonantes que, la intubación de la que disfruto, me impide expeler correctamente.

No quiero morirme. Todavía no, carajo. Posiblemente el dolor consiga que, un enfermo, desee la muerte. Pero es que lo que nadie desea es el sufrimiento y la inconsciencia se lo lleva con ella. Mis dolores son míos, mi consciencia es mía. ¡Que a nin-

206

gún idiota de los que me rodean se le ocurra aplicarme la eutanasia! ¡Quiero vivir!

Cuando el sacerdote salió no sin haberme advertido, al tiempo que sonreía, que no se trataba más que de aprovechar su condición para poder visitar a tan ilustre enfermo, conocerlo personalmente y desearle una pronta y feliz recuperación, deseé a Xana; la deseé violentamente. No sé si lo que realmente deseaba era recobrar la vitalidad o bien resulta que estoy enamorado de ella. Torpemente enamorado de ella. Avergonzado incluso de este sentimiento, hasta el extremo de aterrorizarme que alguien pudiese penetrar en mis pensamientos y descubrir la puerilidad de mi estado. ¿Se puede amar a mis años? ¿Puede hacerse mientras se está postrado en un lecho que puede ser el de la muerte? ¡Mierda! ¡Pues claro que se puede! Y quizá la violencia de mi deseo sea tan sólo intelectual y relacionado con el ansia de vivir, pero incluso creo que no se trata tan sólo de eso.

¿Se morirá Álvaro? Ignoro cuál podrá ser la relación que tiene establecida con Xana, la silente, pero no deseo que se muera. Tan pronto como pueda incorporarme iré a verlo. No es que no desee que se recupere él antes que yo, pero lo lógico sería que la curación llegase antes a mí.

Volví a quedarme dormido. Regreso ahora y tengo en la boca el sabor amargo de los sueños. Dios mío. Anoche, en el jardín, el Botafumeiro salía proyectado, no sé cómo, acaso a través del rosetón, quizá por La Puerta abierta, sobre la plaza del Obradoiro; hoy, ahora mismo, en mi sueño, yo lo cabalgaba, de un lado a otro de la bóveda, mientras que, rítmicamente, los tiradores amplificaban su oscilación hasta ascenderlo a veintiún metros. ¡Dios, qué vuelo! El arco que describía a lo largo del crucero de la catedral era de sesenta y cinco metros y, la velocidad de crucero a la que lo hacía, alcanzaba los sesenta y ocho quilómetros por hora. Extraños cálculos poblaban mi cerebro y alguien me los susurraba al oído, en tanto que el vuelo era perfecto.

Una reencarnación de San Martín en catedrático de física aplicada agitaba, desde una esquina del transepto, un código de banderas gracias al que yo era consciente de la levedad y características del vuelo. Me embriagaba el olor a incienso. A cada vez que me aproximaba a la vertical, montando sobre el artefacto volador, sentía cómo los tiradores daban el justo tirón que multiplica, ya que no las fuerzas, sí el desplazamiento, al conseguir desenrollar casi metro y medio de cuerda del tambor pequeño que pertenece al mecanismo del conjunto, junto con el tambor grande; el que está, allá en lo alto, del lado opuesto al de los tiradores.

Mientras todo esto sucedía no cesé de oír, en todo momento, el canto monocorde de las chirimías sonando, allá abajo, unas veces, a mi izquierda, otras, a mi derecha, en medio de una catedral que al principio estaba vacía y, poco a poco, fue poblándose de seres. Los trece tramos del transepto interrumpían el zumbido del aire desplazado por el Botafumeiro; lo hacían con exactitud matemática y de forma muy semejante a la que se produce cuando vamos en coche, con las ventanillas abiertas, y dejamos atrás los postes de la luz, los mojones de la carretera, los pretiles de algún puente. La única diferencia consistía en que, en mi sueño, la exactitud matemática hacía que, el sonido, se imbricase con el de las chirimías y el resultado fuese un mantra espeluznante que surgía de lo más profundo de los abismos del ser.

Ayudaba a todo ello la sencilla secuencia mecánica que consigue desplazar el enorme incensario; se trata de conseguir un funcionamiento justamente inverso al del torno, un movimiento opuesto al de éste. No es por lo tanto un movimiento de penetración en nada, puesto que en nada se introduce. Más bien de forma opuesta a como trabaja un berbiquí, es decir, al contrario, extrae, pero ¿de dónde?, ¿el qué? Era como si se tratase de un berbiquí que se retrotrajese a partir de sí mismo, en el vacío; a partir de la nada, puesto que en la nada se había posado. Un agujero negro, lleno de antimateria quizá; pero con la única y esencial diferencia de que, en vez de absorberte hacia su oscuro y remoto interior, te proyectase al espacio exterior, al tuyo y del tuyo, expeliéndote y lo hiciese... justamente al medio y medio de la Plaza del Obradoiro, próxima al Finisterre.

Tengo que reconocer que el sueño fue muy extraño. Los hombres que dan el tirón no se mueven de su sitio, apenas se mueven ellos. Son sus brazos los que ascienden y descienden, escasos centímetros, cada vez que el incensario pasa por su lado; y, cada vez que esto sucede, cada vez que se produce este movimiento, nace de él una ascensión de casi tres metros para el vuelo del artefacto. Y el torno que no enrolla, que desenrolla; que no recoge, que expele; gira mientras tanto en un vaivén que no agobia nada, ni mucho menos, porque la situación es placentera.

En el paroxismo del movimiento se alcanza el éxtasis, claro. Quiero decir que hay un momento del vuelo en que éste se detiene y todo queda en suspenso. Es el no movimiento. Sucede a tan sólo medio metro por debajo de la bóveda de forma que, al menos en el vuelo de mi sueño, me vi obligado a agacharme, por miedo a llevar un croque, cada vez que esto sucedía. La ventaja es que el éxtasis se produce, unas veces, en el lado derecho, otras, en el lado izquierdo de la nave; cuando en el norte, cuando en el sur y, en la variación está el gusto.

Al empujón inicial, necesario para el vuelo, sucede una amplitud de unos trece grados en el comienzo de éste, San Martín dixit, y, al cabo de ochenta segundos, es decir, muy poco, y luego de diecisiete ciclos, se llega a alcanzar una amplitud máxima de ochenta y dos grados, en la trayectoria pendular en la que el vuelo consiste y luego de haber volado a diecinueve metros por segundo. ¡¿Se imaginan el columpio?! Pues en él me entró el pavor. Si el Botafumeiro desapareciese de entre mis piernas, convertido en una partícula infinitésima, y si, la cuerda de la que pende, lo hiciese de entre mis manos puesto que a ella iba yo amarrado, porque hubiese pasado a ser un hilo de luz de masa nula, la energía total resultante, suma de la cinética y la gravitatoria se mantendría constante al pasar el tiempo, sería el no ser, sería la muerte.

Ahí justamente fue cuando creí que me moría, cuando creí que me dominaba el vértigo y me llevaba detrás de él, y, en un esfuerzo supremo de la voluntad, me desprendí de los asideros que me mantenían en contacto con el incensario; me abrí de piernas y extendí los brazos y volando, volando, volando aterricé de nuevo en este lecho del dolor. Así de fácil y así de terrible.

Lo cierto es que di un salto brusco al posarme de repente y que, el dolor, me despertó atónito y sobrecogido de espanto, convencido de que regresaba de haber sobrevolado el abismo definitivo.

Xana ya no está aquí, seguro que fue sustituida por esta enfermera de expresión facial incomprensible; no sé si está feliz o asqueada de tener que prestar atención profesional al egregio despojo musical en el que yo me he, a la postre, convertido.

Esta enfermera no me gusta, casi estoy por decir que no me gusta nada; además no me atrevo a solicitarle que vuelva a reblandecerme ella la almohada. Quién sabe cómo lo hará, si se lo pido. No me hago a la idea de que sus manos puedan resultar dulces, ni de que pueda mirarla a la cara mientras lo haga. Xana olía a perfume cuando, hace no sé cuánto tiempo, se inclinó sobre mí y pude intuir el calor tibio de sus pechos, el frescor de su boca hermosa y próxima a la mía, dotada de esta intubación de mierda.

Era un perfume deletéreo, de tan embriagador y seguro que, esta virgen prolongada, no huele a nada ameno. A nada semejante. Seguro que su boca está tan deshidratada como la mía y que se pueden encender fósforos rascándolos sobre sus dientes que, ignoro por qué, imagino cariados. Seguro que su aliento sí resulta venenoso.

¿Cómo es posible que, en mi estado, me siga reclamando la belleza? Quizá sea que la hermosura es sana; que no pueda darse sin salud, a pesar de los románticos. ¿Seré yo quien piensa así y no será la mía una pretensión uniformizadora del sentir humano?

Lo cierto es que me atrae la salud, me atrajo desde siempre un cuerpo hermoso y huí de la decrepitud como de la peste. No creo que nunca y menos ahora, me resultase, me pueda resultar atractiva la morbidez de un cuerpo exangüe. De un cuerpo fatigado, pues la muerte es la aceptación de la suprema, de la absoluta fatiga, la exhaustación irremediable. Por eso no me atrae lo mórbido, sino lo lozano. Pero sé que pueda no ser así. La languidez de la muchacha tuberculosa despertó pasiones y autores hubo que expresaron su deseo de besar aquellos labios, por los que asomaba a la luz la sangre muerta de la enferma. Habrá hoy, seguro, quien desee acariciar el cuerpo recubierto de pústulas de quien se halle presto a morir invadido su organismo por el virus del sida. Pero ése no seré yo. Sigo necesitando el cuerpo flexible y armónico que sólo se sustenta en la belleza, en el equilibrio que la salud proporciona.

Y voy de un sueño a otro, de una consciencia a otra, en medio de la fatiga. Realmente estoy fatigado, sumamente fatigado e ignoro si vecino a la fatiga postrera, a su aceptación. Pero sé que no la quiero. Sé que, la muerte, es irreversible; al menos en la medida en la que, la fatiga, es restaurable siempre que no se trate de una fatiga de vivir. Yo no tengo fatiga de vivir. El agotamiento senil de mi cuerpo maltratado no afecta más que a mis miembros, a mis órganos todos, pero no a mi cerebro, no a mis ansias de vivir. Carezco, todavía, del necesario impulso tanático; también de un sentimiento ilusionario de bienestar, que preceda a otro de apatía, y concluya en una eufórica turbación del espíritu anterior a la muerte. Carezco de todo ello. No tengo dolor morboso de vivir. Simplemente estoy jodido. Me duele hasta el aliento. Me duele todo. La vejez, la perdida juventud, el pecho, los tubos que me penetran también me duelen; me duele todo.

Y puesto que tengo dolor, vivo. Y en ello me complazco. Mi dolor es mío y me ata a la vida. No me abandono a él. Si sueño no lo hago por practicar ningún noviciado con la muerte. ¿Quién sería el primer hombre que soñó? ¿Cómo será el primer sueño de cada hombre? El habitante de la caverna que soñando vio su cuerpo destrozado por las fieras, qué habrá pensado al despertar y poder reconocer su cuerpo sano, limpio, entero, intacto. Pudo ver su muerte y luego se contempló resurrecto. Había habitado otro mundo y vivido en otro estado.

La mujer a la que le cupo en suerte soñar, por vez primera, con su padre muerto y se despertó de regreso en este mundo. ¿Habrá deducido sin razón ninguna la existencia de otro en el que habitan los difuntos?

El niño que se vio volando sobre parajes desconocidos o atravesando ciudades ignoradas, presa del pánico al laberinto o del terror a la gravidez súbita, qué pensará cuando, despierto, se encuentre en la habitación de siempre y bien pegado al suelo. ¡Yo qué sé! Lo único que afirmo es que esta enfermera es mema, que no quiero morirme.

Volví a quedarme dormido. Pero ya no cabalgué el Botafumeiro sino que volví a volar yo solo, flotando por aquí, levitando por allá, deteniéndome en esta capilla, pasando de largo por aquella otra. Fue una experiencia grata, esta de volar, sobrevolar, ponerse al pairo, ascender como una flecha y jugar, en fin, como pudiera hacerlo un niño.

El Pórtico, la Puerta, vaya, siguió deparándome sorpresas. Todo está allí, todo; aunque no sepamos verlo está en ella todo resumido. Sería curioso poder averiguar la razón por la que sueño recurrentemente de la manera en la que lo hago. En algún lugar leí que el hombre es un milagro químico que sueña. ¿Estaré drogado? Seguro que me administran algo que produce en mi cerebro las reacciones químicas precisas para que, de alguno de mis circuitos neuronales, de alguna específica cadena de mis neuronas, fluya, hasta la corteza de mi consciencia, el recuerdo de lo leído en mi lejana juventud de cura. Porque sigo siendo cura. No me he vuelto a acordar de que soy cura. Vaya por Dios. Ahora me acuerdo. Soy sacerdote. Ninguno de mis poderes como tal, como ministro de Dios, me ha sido anulado. Pero no tengo fe. Deseo a Dios, pero no tengo fe, la fui perdiendo sin saber cómo, absorto en un mundo de sonidos que, la verdad, ahora, tampoco me importa mucho y que, sin embargo, fue toda mi vida. ¿De qué extraña materia estaré hecho? ¡Mierda! Ya empiezo. Y sólo se trataba de soñar, de saber por qué sueño, cómo lo hago, en ríos verdes que manan del Pantocrátor central de la Puerta y se desparraman por el resto del conjunto, primero; por toda la catedral, después. Y el agua verde lo va cubriendo todo y todo, gracias a ella, reverdece.

Reverdecen, incluso, los cuerpos que flotan en ese líquido viscoso, que puede que sea el del río de la vida; ese río interminable que hay que navegar de todos modos. Lo sobrevolé varias veces en el sueño que, al igual que la catedral, estaba hecho a la medida humana. Sucede que la medida humana es cambiante, que el status homini, no siempre es el mismo porque tampoco el ser humano permanece inmutable y, unas veces, el hombre mide ocho palmos justos y, los ocho sumados, son equivalentes a un ejemplar de un metro setenta y, otras veces, el individuo mide más y, otras, mide menos; y si el hombre es la medida de todas las cosas, las cosas no son siempre las mismas y aquí no se aclara nadie. Afortunadamente. De no ser así de nada me habría valido volar en mi sueño. Apenas me habría valido soñar.

Según yo iba desplazándome surgían pájaros de todos los sitios posibles, incluso de los más inimaginables. De las bocas de las personas que nadaban en el río, surgían pájaros. Casi todas aves rapaces, es cierto. De los instrumentos que nunca fueron tañidos por los ancianos de la Puerta, en un extraño ejercicio de prestidigitación, surgían canarios y jilgueros y algún pardillo que otro. De las redomas de los ancianos, ¡qué cosa tan extraña!, salían zumbando palomas blancas como espíritus puros en cuyos pechos se reflejaban, verdescentes, los fluires acuosos del río interminable. De no sé dónde, supongo que de las partes altas del triforio central, venga dale, venga dale, búhos y lechuzas que, una vez posados sobre el hombro de alguna imagen, arqueaban las alas y emitían sonidos dispares, disímiles y ululantes. En fin, que todo el ámbito catedralicio empezó a llenarse de pájaros y de aves y que no faltaron gallinas de vuelo corto y cacareante, algún urogallo en trance de amor apresurado, cuervos y buitres, la fauna de pico y pluma entera.

Se hizo bastante complicado el vuelo en tales circunstancias. Tenía yo, no sólo que volar, sino que, además, andar espantando con las manos a los pájaros más pequeños, a los canoros, empeñados en posarse sobre mí e incluso en picotearme determinadas partes de mi cuerpo que, no siéndolo ninguna, eran las menos apropiadas para ello.

Mientras tanto los ancianos músicos permanecían expectantes, doblados sobre sus instrumentos o con

214

los brazos dispuestos sobre ellos, en espera de la señal que les indicase que podían empezar a interpretar la dichosa sinfonía del fin del mundo, posterior a los trompeteos del sueño anterior que, debido a que me desperté una vez finalizado el cuarto, cuando quedaban tres, ignoro si habrán concluido o no. Pues el Libro es el Libro y hay que cumplirlo todo.

Posiblemente La Señal tenga que darla el Maestro Mateo, el Santo de los Croques, aquel sobre cuya frente golpeas la tuya y adquieres inteligencia y comprensión sumas. Al menos en mi sueño así sucedía, que la señal tenía que darla él, y es lógico, después de todo, ya que se trata del Maestro Creador, del Autor de Todo, del Artífice, el Gran Arquitecto, el Señor de la Armonía, el Amo del Cosmos, etcétera, etcétera, etcétera.

¿Y cuándo proceder a destruir toda la obra? ¿En un momento de desesperanza? ¿En otro de zozobra? ¿Cuándo determinar que se produzca el desequilibrio? ¿Cuándo, eh, cuándo? Un tercio del país, quemado; otro tercio de sus aguas emponzoñadas; un tercio de los peces ahogados y, un tercio de sombra, incluso mala, no son cosa que ya preocupen mucho a nadie. Todos los años se quema bastante más de un tercio de arbolado, cualquier petrolero hundido mata más pesca que la citada y un eclipse es posible cualquier día de estos a cualquier hora. La zozobra, la desesperanza, el desequilibrio están servidos. ¿A qué espera el Maestro?

Ahora que recuerdo el sueño me doy cuenta de las disquisiciones a las que los sueños nos obligan. De un sueño a otro ¿qué va? Quizá únicamente las cuentas mejor echadas, pues se adquiere mucha práctica y a todo se acostumbra uno. A lo que en cambio no me acostumbro es a la idea de mi propia extinción. Estos sueños tan escatológicos, tan relacionados con el fin del mundo, lo serán por causa de mi propio fin. ¿Serán premonitorios de ello? ¿Servirán para algo? Lo único que sé es que viví enormes momentos de tensión a partir de estas consideraciones. Aunque fuese en sueños.

Es sabido que en un sueño cabe todo. Incluso las cuentas, también las reflexiones más profundas. Y las menos. Pero hay múltiples ocasiones que, a lo largo de ellos, en el medio y medio del discurso, te preguntas la razón por la que te abandonas al juego a pesar de que sabes que se trata tan sólo de eso, de un sueño del que regresas de forma sucinta y breve y tan sólo para hacerte la pregunta en medio de una consciencia relativa. Y la respuesta no llegas a dártela y, si te la diste, no la recuerdas ya porque penetraste de nuevo en ese universo producido por tu imaginación y allí estás tan ricamente hasta que te despierta el temor o lo hace el goce. Pues así yo en mi sueño en el que, por cierto, no sé si estaré todavía.

El asunto es que el fin de todo sobrevendrá cuando el Maestro Mateo baje el dedo. Lo difícil es determinar cuándo se le va a ocurrir hacerlo y si, realmente, es competencia suya tal gesto. Pero en mi sueño es así y acaso no deba de ser de otra manera. Al menos eso creo.

Los pájaros y las aves, según era de esperar, se reprodujeron con facilidad suma. Anidaban en cualquier sitio y, en poco tiempo, la catedral estaba recubierta de una espesa y tan gruesa capa de excrementos, mezclados con plumas, que, a pesar de que el Botafumeiro siguiese funcionando sin parar —como si se hubiese resuelto la imposibilidad del movimiento continuo (aquellas historias del móvil perpetuo de primera y segunda especie, bagatelas de chiquillos)— olía tan mal, tan mal, como cualquiera que haya disfrutado de cualquier mal olor a lo largo de su vida, se podrá imaginar con fulgurante rapidez y sin necesidad alguna de que yo tenga que describirlo por lo menudo. Olía a mierda de pájaro putrefacta.

cendente, describiendo una trayectoria parabólica.
¿Por qué? Pues porque sólo así alguna de las palomitas (y las muy canallas no cagaban al albur ¡qué
iban a cagar!) podrían depositar su escatológico
(nunca mejor dicho) proyectil en uno de los ojos de
Mateo, momento y oportunidad en los que, éste, se
sentiría realmente molesto y bajaría el dedo aunque
sólo fuese, después de haberlo subido, por quitarse
la mota que le había entrado en el ojo y mira que en
ocasiones cagan duro las palomas.

Empezó el bombardeo; de las alas derecha e izquierda y de forma alternativa, iban saliendo las palomas dispuestas a una lucha que tenía mucho que
ver con la de los kamikazes. La angustia me invadía
enteramente. Cada vez que una de las palomas fallaba, un respiro y un relajamiento de la tensión se
producía en mí sin que me diera tiempo a concluirlo; porque ya otra salía a intentar enmendar el fallo
de la anterior.

La imagen del Maestro Mateo acusaba ya los impactos, pero sus ojos permanecían intangibles. Una
luz acaso maliciosa parecía surgir de ellos y eso no
sé si me intranquilizaba más. Cada paloma que fallaba en su intento, continuaba su vuelo parabólico
ascendente para concluirlo en algún lugar que no
llegaba a despertar mi curiosidad, atento como estaba al vuelo de la siguiente y al de la siguiente y al
de la siguiente que, con ritmo de fusil de repetición,
salían disparadas, una detrás de otra, cada vez con
mayor velocidad y más precisa trayectoria.

Mi corazón latía al unísono que los impactos. Sentía morirme. Sabía que no podría resistir mucho
tiempo. La uve cada vez era más pequeña y siempre
equilibrada, tal era la cadencia de los desplazamientos desde las alas de la formación. Tal era el
ritmo cardíaco que yo estaba padeciendo. Al borde
ya del infarto, con los ojos no sé si desorbitados o
entreabiertos, pude constatar que todas, todas me-

nos una, habían fallado y tan sólo quedaba una: la más grande y hermosa, la más llena de majestad. Tan llena de majestad estaba, tan prepotente, omnisciente, omnímoda, etc. etc. etc., se mostraba a mis ojos, que pensé, no sin espanto, si se trataría del Espíritu Santo. ¿Lo sería? De serlo no habría fallo posible. Todo estaría irremediablemente perdido.

Salió segura hacia su objetivo y no me cupo duda alguna de que no fallaría. Imaginé las compuertas, abriéndose a indicación de unos esfínteres controlados de forma perfecta, y estuve a punto de cerrar los ojos, dispuesto ya a sucumbir, justo un momento antes de que Mateo bajase el dedo.

En ese instante y sin saber de dónde surgió un gato enorme que se abalanzó, sobre el Espíritu Santo, digo sobre la Última Paloma, y detuvo su vuelo, aunque no impidió su deposición que, fíjense qué curioso, era verde y se fue expandiendo, expandiendo hasta recubrir de verde todo el ámbito. Pero eso ya no lo vi en mi sueño, eso lo supongo. Cuando vi al gato saliendo de no sé dónde, cuando yo ya sentía que estaba a punto de morir, pegué otro bote, como el de ocasión anterior y me desperté lleno de dolor. Mi cabeza repleta de nuevo de palabras que me reclamaban a la vida.

Al bote le siguieron otros. Y otros. Creo que debí de dar unos cinco, en total. No lo sé. Cuando desperté del otro sueño, el del Botafumeiro cabalgado, seguro que sólo di uno y, además, era distinto. Fue una sensación de vértigo la que me llevó al salto, como si fuese el resultado de la inseguridad en la que vivo. Mi mano torpona no era suficiente para permitirme permanecer asido a la maroma del incensario y acabé por soltarla, dar el bote y despertarme. Pero ahora los botes son otros. Y hay gente hablándome. Además, huele raro. Huele a chamusquina.

Me han proporcionado unas descargas eléctricas sobre el pecho, para que mi corazón siga latiendo, es evidente. Son ellas las que me han hecho saltar. Estoy cansado y no sé si quiero seguir pensando. Sé que estoy vivo, que Xana acaba de entrar y que, impulsivamente, se ha arrodillado a los pies de la cama y que me está acariciando la mano y que todo vuelve a ser luminoso y que ya no quiero morirme. Al menos por algún tiempo. Antes, por lo menos, tengo que averiguar una cosa: ¿de dónde coño salió el gato?

Compostela, dos de agosto de 1990

Este libro se acabó de imprimir
en Limpergraf, S.A., Ripollet del Vallès (Barcelona)
en el mes de febrero de 1991